Steil!

n!

Enwogrwydd!

Pop a roc a ballu!

Cam bychan
at y llwyfan mawr!

Gweld Sêr

Gweld Sêr

Brenhines Bop

Cindy Jefferies

addasiad
Emily Huws

Argraffiad cyntaf: 2010

Ⓗ addasiad Cymraeg: Emily Huws

Rhif rhyngwladol: 978-1-84527-279-1

Teitl gwreiddiol: *Pop Diva*

Mae'r cyhoeddwyr yn cydnabod cefnogaeth ariannol
Cyngor Llyfrau Cymru.

Cyhoeddwyd yn wreiddiol yn Saesneg gan Usborne Publishing Ltd.
© testun Saesneg: Cindy Jefferies
Cyhoeddwyd yn Gymraeg gan Wasg Carreg Gwalch,
12 Iard yr Orsaf, Llanrwst, Conwy, LL26 0EH.
Ffôn: 01492 642031 Ffacs: 01492 641502
e-bost: llyfrau@carreg-gwalch.com
lle ar y we: www.carreg-gwalch.com

Argraffwyd a chyhoeddwyd yng Nghymru.

1 Cipio'r Cyfle
2 Seren y Dyfodol
3 Cyfrinach Ffion
4 Cythraul Canu!
5 Llwyddiant Llywela
6 Lwc Mwnci
7 Seren
8 Sêr Nadolig
9 Brenhines Bop

i ddilyn yn fuan:
10 Brwydr y Bandiau

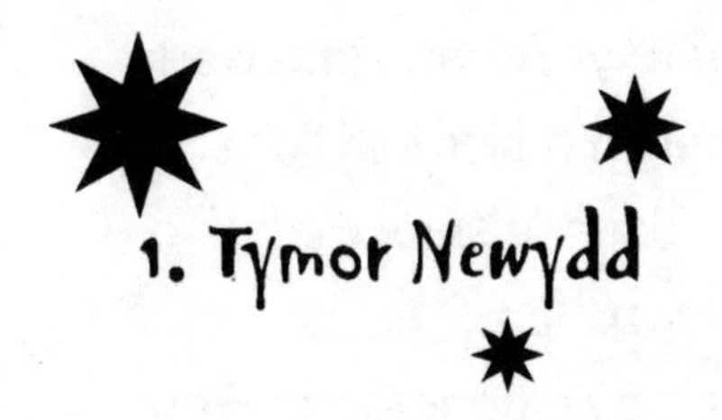

1. Tymor Newydd

Roedd hi'n rhewi'n gorn pan ddaeth Fflur a Ffion allan o'r car. Er bod yr haul yn tywynnu, doedd dim cynhesrwydd o gwbl yn y pelydrau. Bu'n ddigon oer cyn y Nadolig, ond yn awr, ym mis Ionawr, roedd hi'n berfedd gaeaf a phobman wedi fferru'n gorn. Cydiodd Ffion yn ei sgarff a'i lapio o amgylch ei phen i amddiffyn ei hwyneb rhag y gwynt deifiol. Roedd y ddwy chwaer, efeilliaid 'run ffunud â'i gilydd, wedi cyffio ar ôl eu taith ac yn falch o gyrraedd yn ôl i ysgol Plas Dolwen ar ddechrau tymor newydd. Byddai'n andros o braf gweld eu ffrindiau unwaith eto.

"A' i i chwilio am droli i gario'n bagiau ni," meddai Fflur, ei thraed yn crensian wrth iddi gerdded dros y gymysgedd o halen a graean oedd yn haen drwchus dros y llwybr i gyd. Y tymor cynt roedd

Huwcyn ap Siôn Ifan, Pennaeth yr Adran Roc, wedi torri'i ffêr wrth syrthio ar y rhew. Yn sicr felly, doedd ar Mrs Powell, y Pennaeth, ddim eisiau rhagor o ddamweiniau tebyg y tymor hwn.

Cerddodd Fflur yn ofalus i dŷ'r genethod, Fron Dirion, lle roedd Mrs Prydderch, yr athrawes a ofalai amdanynt, yn croesawu pawb.

"Ara deg!" rhybuddiodd, wrth i Fflur rowlio'r troli'n drwsgl i mewn i'r adeilad, gan osgoi traed yr athrawes o drwch blewyn.

"Ddrwg gen i!" galwodd Fflur, gan droi'i phen draw rhag i Mrs Prydderch ei gweld yn gwenu.

Fuon nhw fawr o dro yn gwthio bagiau trymion Fflur ar hyd y coridor i'w hystafell. Roedd yn braf iawn bod ar y llawr isaf gan eu bod wrth ymyl y gegin, y lolfa a'r ystafell gyfrifiaduron.

Aeth y ddwy allan wedyn i nôl bagiau Ffion ac i ffarwelio â'u rhieni. Ysgol breswyl oedd Plas Dolwen, ac ni fyddai'r genethod yn gweld eu rhieni eto am rai wythnosau. Roedd ffarwelio bob amser braidd yn drist, ond doedden nhw ddim yn malio rhyw lawer chwaith gan fod cymaint i edrych ymlaen ato. Yn ogystal â'r gwersi arferol, ym Mhlas Dolwen roedd y disgyblion yn dysgu popeth am y diwydiant cerddoriaeth. Roedd yr ysgol yn llawn o fyfyrwyr talentog, a'r rheiny'n benderfynol o wireddu eu breuddwydion o fod yn gantorion, dawnswyr, peirianwyr recordio, neu wneud rhyw waith arall yn y maes.

"Ty'd 'laen!" meddai Fflur, wedi iddyn nhw ffarwelio â'u rhieni. "Gad inni weld pwy arall sy 'ma. Sylwais i ddim ar fagiau Erin na Llywela, felly ella nad ydyn nhw ddim wedi cyrraedd eto."

"Ddylen ni ddadbacio'n gwisgoedd," meddai Ffion, "neu mi fyddan nhw wedi crychu i gyd."

Roedd gan Fflur a Ffion lwythi o ddillad bob amser gan eu bod yn fodelau enwog ac wrth eu bodd yn gwisgo'n grand, ond doedd Fflur ddim cystal â Ffion am ofalu am ei dillad hi.

"Rwyt ti'n iawn," cytunodd Fflur. "Well inni 'neud hynna gynta."

Roedden nhw wedi rowlio bagiau Ffion tua hanner y ffordd i lawr y coridor pan ddaeth bloedd o'r tu cefn iddyn nhw.

"Hei!" Erin Elis, un o'r genethod oedd yn rhannu eu hystafell, oedd yno.

"Felly *rwyt* ti yma," meddai Ffion gan wenu ar ei ffrind gorau. "Doedden ni ddim yn meddwl dy fod ti wedi cyrraedd."

"Haia, Erin! Sut wyt ti?" galwodd Fflur. "Welaist ti ein cyfweliad ni?"

"Do siŵr! Roeddech chi'n ardderchog," meddai Erin. "Diolch am fy ffonio i. Allwn i'n hawdd fod wedi ei golli. Ydi o'n wir, beth oeddech chi'n ei ddweud ar y teledu?" holodd. "*Ydach* chi wedi cael cytundeb recordio?"

"Do! Cyffrous, yntê?"

Gwasgodd Fflur heibio'r troli er mwyn cofleidio Erin. Gwnaeth Ffion 'run fath. Roedd yn braf iawn gweld Erin eto.

"Mae'n ddrwg gen i. Doedden ni ddim yn cael dweud wrth *neb* am y cytundeb cyn y cyhoeddiad ar y teledu," ymddiheurodd Ffion wrth Erin. "Ond roedden ni eisio gofalu dy fod ti'n gweld y rhaglen."

"Popeth yn iawn," gwenodd Erin. "Ro'n i wrth fy modd yn clywed bryd hynny. Gawsoch chi fy nodyn bodyn i?"

"Do, diolch. Ac fe welson ni dy raglen *di* hefyd," meddai Ffion wrth Erin. "Roeddet ti'n Seren y Dyfodol ardderchog!"

Ar derfyn pob blwyddyn ysgol, gwahoddid Plas Dolwen i anfon eu myfyrwyr gorau i berfformio mewn cyngerdd Sêr y Dyfodol arbennig yn Stiwdio Barcud, ac roedd Erin yn un ohonynt. Er bod y rhaglen wedi cael ei recordio ar ddiwedd tymor yr haf, doedd hi ddim wedi cael ei darlledu tan y Nadolig, felly bu'n rhaid iddi aros yn hir iawn i'w gweld ei hun ar y teledu.

"Diolch," gwenodd Erin. "Ond roedd y cyngerdd hydoedd yn ôl, ac mae'ch newyddion chi'n chwilboeth! Be yn union ddigwyddodd?"

Daeth amryw o enethod eraill o'u hystafelloedd i wrando ar yr hanes, eu lleisiau'n codi'n uwch bob eiliad. Pwy gyrhaeddodd yno ond Mrs Prydderch. Curodd ei dwylo i gael tawelwch.

"Genod! Symudwch o'r ffordd, wir! Cofiwch fod pobl eraill eisio dod i mewn. Fflur! Mae rhywun arall angen y troli. Paid â'i gadael hi dan draed yn fan'na. Dos â hi'n ôl allan wedi ichi orffen efo hi. Yna, os oes *raid* ichi weiddi a sgrechian, gnewch hynny wrth fynd i gael te!"

Gwyddai Fflur fod amryw o'r myfyrwyr iau'n ei gwylio hi a Ffion â'u llygaid fel soseri. Doedden nhw, mae'n debyg, erioed wedi cyfarfod neb oedd wedi cael cytundeb recordio o'r blaen! Gwenodd arnyn nhw, yn serennu fel petai hi'n enwog go iawn! Yn y cyfamser, straffagliodd Erin ar hyd y coridor yn cario casgliad o fagiau amrywiol.

Wedi i Fflur, Ffion ac Erin gyrraedd eu hystafell eu hunain efo'u bagiau, suddodd Fflur i lawr ar ei gwely'n fodlon braf.

"Ydi o'n wir eich bod chi wedi cael cytundeb recordio?"

Sioned, geneth dal, wallt golau, flwyddyn yn hŷn na nhw oedd yno. Roedd yr ystafelloedd ar gyfer genethod blwyddyn naw yn y coridor gyferbyn, ond roedd y newyddion ynghylch yr efeilliaid wedi lledu fel tân gwyllt drwy Fron Dirion. Ymhen dim, roedd fflyd o enethod wedi dod at y drws.

"Ydi, mae o," meddai Betsan wrthi – roedd hi'n rhannu ystafell efo Sioned. "Welaist ti nhw ar y teledu dros y Nadolig?"

Ysgydwodd Sioned ei phen.

"Fflur Lewis!"

Gwahanodd y criw genethod o amgylch y drws a daeth Mrs Prydderch i'r golwg a golwg digon blin arni. "Ddwedais i wrthot ti am fynd â'r troli'n ôl yn syth. Beth fydd y myfyrwyr iau'n ei feddwl ynghylch y fath ddifaterwch? A ddylech chi enethod hŷn ddim bod yma chwaith," ychwanegodd, gan edrych yn gas iawn ar Sioned a'r lleill. "Os ydach chi i gyd eisio paldareuo a malu awyr, ewch i'r ystafell gyffredin."

Diflannodd genethod blwyddyn naw, ac edrychodd Mrs Prydderch eto ar Fflur.

"Mae'n ddrwg gen i, Mrs Prydderch." Neidiodd Fflur ar ei thraed yn euog. "Siarad am ein cyfweliad ar y teledu'r wythnos ddiwethaf oedden ni." Petrusodd. "A'n cytundeb recordio."

Wnaeth hynny fawr o argraff ar Mrs Prydderch.

"Does dim croeso o gwbl i unrhyw brima donna yn y fan hyn, fel y gwyddost ti'n iawn," atgoffodd hi Fflur. "Dwyt ti na Ffion erioed wedi gadael i'ch llwyddiant fel modelau godi i'ch pennau, felly dwi'n gobeithio na fyddwch yn gadael i ymddangosiad ar y teledu eich difetha chwaith. Yma i weithio'n galed rydach chi, nid i swagro o gwmpas y lle fel rhyw sêr bach twp!"

"Mae'n ddrwg gen i," meddai Fflur wedyn, yn teimlo cywilydd braidd. Nid dangos ei hun oedd hi, chwarae teg. Ei brwdfrydedd oedd wedi berwi drosodd. Ond doedd Mrs Prydderch ddim wedi gorffen eto.

"Eich dyletswydd chi ydi rhoi esiampl dda i'r genethod iau," aeth ymlaen, wedi tawelu ychydig bach ac yn siarad gyda'r tair. "Mae'n ddigon hawdd gadael i'r ffaith eich bod wedi ennill lle yn yr ysgol yma fynd i'ch pen. Mae'n rhaid i chi i gyd gadw'ch traed yn gadarn ar y ddaear ar ôl llwyddo mewn rhyw ffordd. Dach chi *yn* cofio hynny?"

Nodiodd y genethod. Doedd neb yn cael meddwl eu hunain ym Mhlas Dolwen. Roedd y diwydiant cerddoriaeth yn enwog o anwadal, ac er mai breuddwyd pob myfyriwr oedd cael cyfle i wneud enw iddo'i hun doedd hi ddim yn talu i fod yn hunanfodlon.

Roedd Fflur a Ffion wedi bod yn enwog fel

modelau plant ers blynyddoedd, ond roedd eu hasiant wedi mynd i drafferth i wneud yn siŵr eu bod yn deall y byddai'r diwydiant ffasiwn yn hwyr neu'n hwyrach yn colli diddordeb ynddyn nhw. Dyna pam roedden nhw wedi penderfynu dod i Blas Dolwen. Petaen nhw'n medru manteisio ar eu henwau da fel modelau a dod yn sêr y byd pop hefyd, byddai cyfle i'r ddwy ehangu eu gorwelion a'u gyrfaoedd. Hyd yn hyn, edrychai fel petai'r syniad yn llwyddiant.

"Dydan ni ddim wedi rhoi trefn ar ein pethau eto," cofiodd Ffion. "Ga i newid efo chdi'r tymor yma, Fflur, a chael y gwely wrth y ffenest?"

Gwenodd Mrs Prydderch. "Mae hynna'n swnio'n debycach i'r efeilliaid dwi'n eu nabod," meddai hi. "Ac unwaith y byddwch chi wedi gorffen dadbacio, ewch i gael eich te."

"Iawn," cytunodd y ddwy.

"A Fflur?"

"Ie?"

"Wyliais innau'r cyfweliad teledu," meddai Mrs Prydderch. "Siaradoch chi'ch dwy yn dda iawn ac mae'r cytundeb teledu yn newyddion ardderchog. Da iawn, y ddwy ohonoch chi!"

Fel roedd Mrs Prydderch yn mynd oddi yno, cyrhaeddodd yr olaf i rannu'r ystafell: Llywela Cadwaladr. Llusgai gês du ar olwynion, un drud iawn yr olwg. Fel arfer, edrychai'n ddifrifol, ei hwyneb yn welw iawn.

Edrychodd Fflur arni. Roedd hi wedi anfon nodyn bodyn ati yn dweud y bydden nhw ar y teledu. Roedd hi *wedi* gwylio'r rhaglen, debyg? Ond doedd Llywela ddim fel petai arni awydd siarad. Wedi dweud helô yn gyflym, agorodd ei chês a dechrau tynnu allan ohono y topiau a'r jîns duon yr arferai eu gwisgo, gan eu hychwanegu at y gweddill oedd eisoes yn ei chwpwrdd.

"Haia, Llywela!" meddai Erin. "Glywaist ti newyddion da Fflur a Ffion?"

Gwenodd Llywela'n gynnil, ond heb ateb. Roedd ganddi rhyw hen arferiad annifyr o beidio â dweud gair am hydoedd.

"Fetia i dy fod ti," pryfociodd Erin. "Dwedodd Fflur iddi anfon nodyn bodyn atat tithau hefyd. Mae'n *rhaid* dy fod iti wedi gwylio'r rhaglen! Rwyt ti'n fusnes i gyd fel arfer!"

Cododd Llywela ei haeliau. "Ydw i?" meddai hi.

Pryfocio oedd hi? Neu heb glywed am y cytundeb recordio?

Ni allai Fflur benderfynu.Gollyngodd lond ei hafflau o esgidiau'n glewt ar y llawr.

"O, Llywela!" meddai hi. "Wyddost ti be sy wedi digwydd? Dweda wrthon ni wir!"

Daeth golwg feddylgar iawn dros wyneb Llywela. Dadbaciodd lun o'i rhieni ac yna trodd i edrych yn syth ar Fflur.

"Paid â dweud wrtha i," meddai hi. "Fedra i ddyfalu, debyg. Diwrnod cyntaf y tymor ydi hi, yntê? Rhyw ddeg munud wyt ti wedi bod yma, a fetia i dy fod mewn helynt yn barod!"

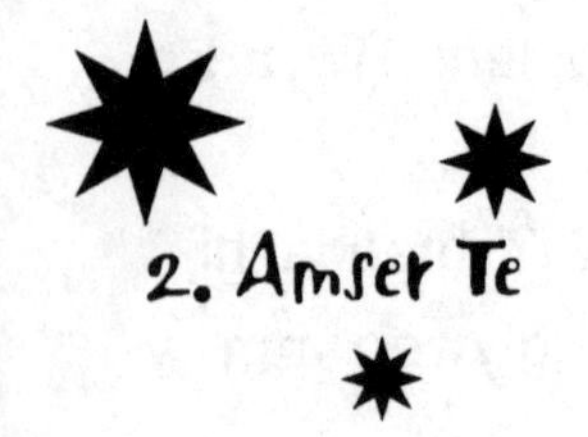

2. Amser Te

Gwenodd Fflur yn gam braidd. Pwy ond Llywela fyddai'n llwyddo i ateb yn anghywir ond i fod yn iawn ar yr un pryd?

"Nid y math yna o beth dwi'n feddwl!" meddai hi. "Rwyt ti'n fy 'nabod i. Dwi *byth* mewn helynt! Nage. Dan ni wedi cael cytundeb recordio! Mae Fflur a Ffion Lewis yn mynd i 'neud sengl! Be wyt ti'n feddwl o hynna?"

Lluchiodd Llywela ei chôt ar y gwely pellaf o'r drws. "Welais i'r cyfweliad," cyfaddefodd. "Mae'n debyg y byddi di'n mwydro am y peth drwy'r tymor, o dy 'nabod di!" Ochneidiodd, ond yna daeth gwên gynnil dros ei hwyneb difynegiant arferol. "Llongyfarchiadau," meddai o'r diwedd. "Dyna pam rydan ni yma, yntê? Felly, ardderchog! Iawn imi gael y gwely yma eto?" gofynnodd gan edrych ar

Erin. "Gas gen i fod yn rhy agos at y drws."

"Roedd Erin am ei gymryd gan mai ti oedd yr olaf i gyrraedd," meddai Ffion.

Ni chymerodd Llywela sylw ohoni. Rhoddodd y llun ar y bwrdd wrth erchwyn y gwely a llyfr clawr meddal wrth ei ymyl. Edrychodd Fflur draw ar Erin a chododd hithau ei hysgwyddau. Ystyriodd ddadlau efo Llywela ond penderfynodd beidio. Doedd dim gwahaniaeth beth ddywedai neb. Roedd Llywela'n llwyddo i gael ei ffordd ei hun fel arfer ac, yn wir, doedd fawr o ddewis rhwng y gwelyau.

Bu'r genethod wrthi'n dadbacio am ychydig funudau wedyn. Ond erbyn i Fflur lenwi'i chwpwrdd dillad at yr ymylon roedd hi wedi laru. "Dowch inni 'neud fel roedd Mrs Prydderch yn ddweud a mynd i gael te," awgrymodd. "Dwi ar lwgu."

"A finnau hefyd," cytunodd Erin, yn sefyll ar flaenau'i thraed i roi ei bag gwag ar ben y cwpwrdd dillad. "A dwi wedi gorffen dadbacio beth bynnag!"

Cerddodd y pedair geneth draw at y prif adeilad. Gynted ag y cyrhaeddon nhw'r ystafell fwyta, gwelsant rai bechgyn o'r un flwyddyn â nhw.

"Dan!"

"Ed!"

"Haia, Cochyn!" gwaeddodd Fflur ar fachgen oedd â llond pen o wallt hir coch, a hwnnw'n gyrls tyn i gyd.

"Cuddiwch!" rhybuddiodd Cochyn y bechgyn ar yr un bwrdd ag o, gan chwerthin. "Genod yn dod!"

Ond yn wir roedd pawb yn falch o weld ei gilydd unwaith eto, a phawb yn cofleidio'r naill a'r llall cyn i'r genethod nôl rhywbeth i'w fwyta ac eistedd i lawr gyda'r hogiau i glywed y newyddion i gyd.

"Wel," meddai Fflur, gan dorri'i chacen yn ddarnau a gollwng ei chyllell ar ei phlât yn swnllyd. "Dan ni'n mynd i 'neud sengl. Cyffrous, yntê? Dwi eisio sgrechian!" Rhoddodd ei dwylo dros ei chlustiau a thynnu stumiau. Gwingodd y lleill, ond dim ond gwich fechan o gyffro ddaeth allan. Gwenodd Fflur. "Dwi'n ysu am gael clywed ein cân ni ar y radio," meddai hi.

"Dwi'n ysu am gael gwybod beth fydd hi!" meddai Ffion. "Dydyn nhw ddim wedi dweud wrthon ni eto."

"Gawsoch chi ddewis y gân?" gofynnodd Cochyn.

"Dwi ddim yn siŵr," meddai Fflur. "Wyddon ni ddim byd heblaw y byddwn ni'n recordio amryw o draciau. Mae'n debyg y byddan nhw'n dewis yr un fydd yn swnio orau."

"Sut gawsoch chi'r cytundeb?" holodd Erin.

"Wel, doedden ni ddim wedi sylweddoli bod Siwan Mererid, ein hasiant, wedi rhoi clip ohonon ni'n canu ar ei safle gwe," meddai Ffion. "Dach chi'n ein cofio ni'n ei ffilmio yn yr ysgol y llynedd?"

"Ydw," meddai Erin. "Anghofia i byth – ges i ganu'r cytgan efo chi! Bendigedig!"

Aeth Fflur ymlaen â'r stori. "Gwelodd rhywun o gwmni recordiau'r darn a ffonio Siwan Mererid. Chlywson ni ddim byd pellach nes iddi ddweud wrthon ni ein bod yn mynd i recordio sengl y tymor yma. Da, yntê? Yr union beth dan ni eisio! Ella y bydd yn agor drysau inni!"

"I 'neud albwm, ella!" cynigiodd Erin, ei llygaid yn ddisglair.

"Wel, ie," cytunodd Fflur. "Gobeithio wir. Byddai hynny'n wych! Gawn ni fynd ar y teledu eto, a siawns na ddaw 'na bethau eraill hefyd – gyda lwc."

"Ella," meddai Ffion yn dawel. "Ond go brin y bydd ein seren ni'n disgleirio am byth."

Edrychodd Fflur yn eitha cas ar ei chwaer. Gwyddai pawb fod Ffion yn bwriadu hyfforddi i fod yn feddyg yn y pen draw, ond uchelgais Fflur oedd aros yn llygad y cyhoedd gyhyd â phosib.

"Felly, pa syniadau eraill sy gynnoch chi?" gofynnodd Ed, yn taro'r hoelen ar ei phen. "Dach chi'n fodelau'n barod, a rŵan dach chi'n mynd i 'neud sengl. Be arall sy ar ôl?"

Doedd dim rhagor o syniadau. Fflur oedd wedi cael gwynt dan ei hadain ac wedi mynd dros ben llestri braidd. Petrusodd. Gwneud sengl oedd y peth mwyaf rhyfeddol yn ei bywyd, ond doedd dim rhaid i uchelgais aros yn y fan honno, nac oedd? Doedd bosib nad oedd llwythi o bethau eraill y gallai hi eu gwneud i gael cyhoeddusrwydd? Fel fflach, meddyliodd am rywbeth.

"Cyflwyno ar y teledu," meddai'n bwysig i gyd wrth Ed. "Ro'n i wrth fy modd pan oedden nhw'n ein cyf-weld ni. Fetia i y medrwn i 'neud hynna. Ddwedodd Siwan oesoedd yn ôl ei bod hi'n meddwl y gwnawn i gyflwynydd teledu da. Cyflwyno sioe siarad, ella!"

"Fyddai gen ti byth amser i 'neud hynny ar ben pob dim arall," meddai Llywela'n ddeifiol. "A phwy fyddai'n rhoi slot gyflwyno i ti ar y teledu? Syniad gwallgo!"

"*Fedrwn* i ei 'neud o," dadleuodd Fflur. "Dwi'n ddigon adnabyddus yn barod."

"Gwrandwch arni hi!" meddai Llywela'n goeglyd. "Gwrandwch ar ein seren ddisglair ni sy ddim hyd yn oed wedi gneud ei record gyntaf eto! Be wyt ti'n feddwl wyt ti? Brenhines?"

Teimlai Fflur dipyn bach o gywilydd, ond doedd dim ots ganddi. *Roedd* pawb yn gwybod amdanyn nhw, a doedd waeth iddyn nhw gymryd mantais o hynny, a throi'r dŵr at eu melin eu hunain fel petai. Nid meddwl ei hun oedd hi. Yna sylwodd ar nifer o'r genethod iau'n hofran gerllaw. "Be dach chi eisio?" gofynnodd i'r eneth agosaf ati, geneth efo gwallt brown, cyrliog.

Daeth y genethod yn nes, y ddwy'n cydio mewn darn o bapur. "Gân' ni dy lofnod di?" gofynnodd yr eneth wallt cyrliog.

"Be?" gofynnodd Fflur, yn meddwl tybed oedd hi wedi camddeall.

"Hoffen ni gael dy lofnod di," eglurodd yr eneth, yn chwilio drwy'i phoced ac yn cael hyd i bensel jél. "A chditha hefyd, wrth gwrs," ychwanegodd wrth Ffion oedd wedi mynd i yn edrych yn fwy swil fyth.

"Welson ni chi ar y teledu'n ddiweddar a dan ni'n gwybod eich bod chi'n enwog," mynnodd yr eneth wallt cyrliog, yn ymwroli mwy bob munud. "Welais i chi'n modelu dillad mewn cylchgrawn dwi'n ei gael hefyd."

"Os gwelwch chi'n dda. Dan ni eisio'ch llofnod chi cyn ichi 'neud eich sengl gyntaf. Wedyn fedrwn ni ddweud wrth ein ffrindiau ein bod ni'n eich nabod chi cyn ichi ddod i frig y siartiau." Edrychai'r ail eneth, gyda gwallt cwta golau, yn ddifrifol iawn. Daliodd ei darn papur allan fel ei fod bron â chyffwrdd llaw Ffion.

"Y peth ydi," meddai Ffion yn drwsgl, "dan ni ddim i fod i 'neud peth fel hyn. Dan ni ddim mymryn gwell na neb arall yma, 'sti."

"Yn union," meddai Llywela. "Dwyt ti ddim eisio gneud Fflur yn fwy fyth o ben mawr!"

Edrychodd Fflur yn gas iawn ar Llywela. Roedd hithau hefyd wedi bwriadu gwrthod, ond yn awr roedd Llywela wedi tynnu blewyn o'i thrwyn.

"Iawn," cytunodd, gan gydio yn y papur ac ysgrifennu'i henw arno'n grand i gyd. Lluchiodd y papur draw at ei chwaer a llofnodi'r papur arall.

Syllodd Ffion ar y lle roedd wedi syrthio. "Wir, dwi ddim yn meddwl …" Petrusodd.

"O, paid â bod yn hen snîch!" meddai Fflur. "Ty'd 'laen. Gwna. Dim ond am unwaith! Does neb erioed wedi gofyn am ein llofnod yn yr ysgol o'r blaen!" Er ei gwaethaf, teimlai Fflur yn falch o gael sylw gan y genethod. Edrychodd ar ei chwaer a gwenu. "Well iti ddod i arfer efo fo!" meddai wrthi. "Unwaith y byddwn ni'n rhif un ar frig y siartiau ac wedi gneud DVD bop, bydd *pawb* drwy'r byd i gyd yn gwybod amdanon ni!"

3. Cynlluniau Fflur

Ar ôl te, aeth y genethod yn ôl i'w hystafell a gorffennodd Fflur ddadbacio.

"Waw! Dyna gamera gwych," meddai Erin wrth Ffion, oedd wedi rhoi camera digidol newydd sbon, yn sglein i gyd, ar ei gwely.

"Gawson ni'n dwy gamera bob un yn anrheg Nadolig," eglurodd Ffion. "Ro'n i eisio un i helpu efo prosiectau bioleg a daearyddiaeth. Ond mi dynna i luniau ohonon ni hefyd. Fedra i eu hargraffu nhw ar fy nghyfrifiadur pen-glin. Mi fydd yn hwyl."

"Bydd!" meddai Erin. "Diolch."

"Dyma fy nghamera i," cyhoeddodd Fflur, yn tynnu cês ychydig yn fwy o'i bag. "Ges i un sy'n tynnu ffilmiau digidol. A stand drithroed hefyd," ychwanegodd, yn tyrchu i'w bag eto i dynnu'r stand allan ac yna ei osod wrth droed ei gwely. "Cyn gynted ag y clywais ein bod ni wedi cael y cytundeb recordio, roedd yn rhaid imi gael un. Bydd yn help i gynllunio'r symudiadau dawns i fynd efo'n cân ni."

"O," meddai Erin.

Sylwodd Fflur ar yr olwg ddryslyd ar wyneb ei ffrind. "Fyddwn ni'n siŵr o fod yn gneud DVDs i fynd efo'r caneuon fyddwn ni'n eu rhyddhau," eglurodd. "Ac ro'n i'n meddwl y byddai'n hwyl ffilmio fy hun yn rhoi cynnig ar ychydig o syniadau. Fedri di greu pob math o effeithiau arbennig efo'r feddalwedd," ychwanegodd.

"Ro'n i'n meddwl mai model, cantores bop a chyflwynydd teledu oeddet ti. Rŵan rwyt ti'n paratoi i fod yn goreograffydd, person efo camera a chynhyrchydd DVD hefyd," sylwodd Llywela yn goeglyd. "Dwyt ti'n dalentog – ein brenhines bop ni!"

Gwridodd Fflur rhyw fymryn bach. "Rhywun arall fyddai'n ffilmio'r DVD, *wrth gwrs*," meddai hi. "Dim ond i'm helpu i weithio ar syniadau mae'r camera."

"Y peth pwysicaf fydd cael y gân yn iawn yn y stiwdio," ychwanegodd Ffion yn dawel.

Gwenodd Fflur ar ei chwaer. "*Siŵr iawn*,"

cytunodd ar unwaith. Roedd meddwl am wneud eu sengl gyntaf yn ffrwydro swigen anferthol o gyffro drwyddi. Cydiodd yn Erin a'i chwyrlïo o amgylch yr ystafell. Cael a chael oedd iddi osgoi'r stand drithroed.

"Dach chi'n lwcus iawn," meddai Erin yn fyr ei gwynt pan stopion nhw.

"Chdi fydd y nesa," mynnodd Fflur, "a Llywela wedyn! Sêr yn fflachio fel tân gwyllt! Dyna fyddwn ni! Ella y medrech chi'ch dwy fod yn ein DVD gyntaf. Fflur a Ffion a Ffrindiau!"

Yna cafodd syniad arall. "Beth am i ni i *gyd* ymarfer bod yn sêr efo 'nghamera i?" meddai hi'n araf. "Mae'n rhaid inni wybod sut byddwn ni'n edrych ar sgrin – inni gael bod ar ein gorau pan ddaw'n cyfle mawr."

Ysgydwodd Llywela ei phen. "Dim ots gen i sut ydw i'n edrych pan ydw i'n chwarae'r bas," chwyrnodd. "Y gerddoriaeth sy'n bwysig."

"Ella wir. Os wyt ti mewn *band*," cyfaddefodd Fflur yn gyndyn. "Er mod i'n berffaith siŵr fod cerddorion roc enwog yn treulio oriau'n gofalu sut olwg sydd arnyn nhw. Ond cantorion pop ydi Erin, Ffion a fi. Mae'n hymddangosiad yn bwysig. Does neb haws â chyrraedd y brig yn edrych fel bwgan brain. Mae'r pecyn cyfan yn cyfri."

Mwyaf yn y byd y meddyliai am y peth, teimlai Fflur yn sicr ei bod hi'n iawn.

"Ddylen ni fod yn cael *gwersi* ar dechneg cyfweliad teledu," meddai wrth y lleill. "Dylai'r ysgol fod yn ein dysgu ni sut i actio."

"Dwi'n meddwl eu bod nhw'n gneud tipyn o hynny'n nes ymlaen ar gyfer y disgyblion hŷn," meddai Ffion, ond doedd Fflur ddim yn gwrando.

"Dim ots," aeth ymlaen. "Achos fedrwn ni 'neud hynny'n hunain, rŵan. Fedrwn ni ymarfer beth fyddwn ni'n ei ddweud am ein llwyddiant diweddaraf o flaen fy nghamera i."

"Ond wyddost ti ddim hyd yn oed pa gân fydd y llwyddiant anhygoel yma eto," meddai Llywela.

Cywilyddiodd Fflur rhyw dipyn bach. "Digon gwir. Dydyn nhw ddim wedi penderfynu eto. Mae'r cwmni recordiau'n mynd i anfon nifer o ganeuon at Mr Parri, i ni gael eu dysgu cyn mynd i'r stiwdio."

Gwenodd ar Erin. "Wyddost ti ddim pryd y cei dithau gytundeb recordio, Erin. Ond dim ots, nac ydi? Fedri di ymarfer dy dechneg teledu."

"Ella …" meddai Erin yn ansicr.

"Ro i gyfweliad i ti," cynigiodd Fflur. Gwenodd yn sydyn, wedi cael syniad arall. "Mi wna i'r cyfweliadau. Mi fydd yn baratoad da erbyn y bydda i'n cyflwyno fy sioe deledu fy hun!"

Griddfanodd Llywela yn ddramatig.

"*Bydd*, Llywela!" mynnodd Fflur, yn berwi o gyffro wedyn. "Fedrwn ni 'neud popeth! Modelu! Cyflwyno rhaglenni teledu a bod yn sêr pop hefyd. Bydd yn help mawr i bawb ymarfer cyflwyno. Beth am hynna? Ty'd 'laen, Erin. Eistedda yn fan'na i mi gael dy gyf-weld di."

Chwarddodd Erin. "Does gen i ddim byd diddorol i'w ddweud," protestiodd.

Edrychodd Fflur arni'n ddifrifol. "Mae *pawb* yn ddiddorol yn ei ffordd ei hun," meddai wrth Erin. "Y cyfan sydd ei angen ydi person efo cydymdeimlad i ddod â hynny i'r amlwg."

Yn sicr, roedd Fflur *yn* llwyddo i berswadio Erin i

siarad. Rhoddodd hyd yn oed Llywela y gorau i'r hyn roedd hi'n ei wneud a gwrando ar Erin yn dweud hanes ei theulu a'r hwyl oedden nhw'n ei gael yn ei chartref. Pan chwaraeodd Fflur y darn yn ôl, cododd Erin ei dwylo dros ei hwyneb mewn cywilydd.

"Do'n i ddim yn bwriadu dweud hanner gymaint â hynna!" protestiodd. "Sut llwyddaist ti i 'neud i mi siarad cymaint? Dwi'n swnio'n hollol hurt."

"Nac wyt, dwyt ti ddim," meddai Llywela. "Roedd yn braf iawn clywed hanes dy deulu di."

Rhythodd pawb ar Llywela. Fyddai hi byth yn canmol neb na dim. Edrychodd yn gas arnyn nhw. "Wel," arthiodd. "Clod lle mae clod yn ddyledus."

"Ie," cytunodd Fflur. "Roedd hwnna'n gyfweliad da." Roedd hi'n dal i ffidlan efo'i chamera pan ddaeth Mrs Prydderch i mewn gan ddweud ei bod yn bryd diffodd y golau.

"Dyna gamera gwerth chweil," meddai wrth Fflur. "Anrheg Nadolig oedd o?"

Pan ddywedodd Fflur wrth Mrs Prydderch am ei chynllun i gynnig ymarfer cyf-weld ei ffrindiau, roedd yr athrawes yn bryderus braidd. "Paid ti â phoeni pobl drwy fynnu eu cyf-weld nhw," rhybuddiodd. "Wn i'n iawn sut un wyt ti am gael syniadau yn dy ben."

"Peidiwch â phoeni," meddai Fflur. "Wna i ddim mynd dros ben llestri! Cofiwch mai syniad am yrfa arall ydi cyflwyno ar y teledu i mi. Dwi o ddifri. Nid rwdlian ydw i. Ella y bydda i'n cyflwyno sioe siarad rywdro."

"Wyt ti *angen* gyrfa arall?" gofynnodd Mrs Prydderch. "Mae'r rhan fwyaf o bobl yn fodlon ar un yrfa, ac mae gen ti ddwy yn barod!"

"Ond dyma'r syniad cyntaf dwi wedi'i gael ynghylch be i'w 'neud os bydd Ffion yn penderfynu astudio meddygaeth yn nes ymlaen," eglurodd Fflur. "Mae'r pethau eraill – modelu a chanu – yn bethau dan ni'n 'neud efo'n gilydd fel efeilliaid. Mae angen i mi gael rhywbeth fedra i ei 'neud ar fy mhen fy hun hefyd. Dydi fy llais i ddim yn ddigon cryf i fod yn unawdydd fel Erin. Fyddwn i wrth fy modd yn bod yn gyflwynydd teledu!"

"Wel, marciau llawn am baratoi ar gyfer y dyfodol," chwarddodd Mrs Prydderch. "Ond rho'r camera i gadw am rŵan, Fflur. Mae pawb angen cwsg. Mae'r diwrnod cyntaf o wersi bob amser yn flinedig, ac mae'n rhaid ichi i gyd fod ar flaenau'ch traed fory."

Diffoddodd yr athrawes y golau a chau'r drws. Cyn gynted ag roedd hi wedi mynd, cododd Fflur ar ei heistedd ac estyn am y camera unwaith eto. "Edrychwch ar hwn!" sibrydodd. Switsiodd y camera ymlaen a chwarae'r darn olaf roedd hi wedi'i ffilmio.

"Mrs Prydderch ydi hi!" chwarddodd Erin.

"Do'n i ddim yn sylweddoli bod y camera'n dal ymlaen gen ti!" meddai Ffion, yn gwylio'r sgrin fechan. Daeth sŵn Mrs Prydderch yn chwerthin allan o'r camera, a chwarddodd y genethod hefyd.

"Hy!" wfftiodd Llywela. "Beth am ofyn caniatâd rhywun cyn eu ffilmio?"

"Ond ddwedodd Mrs Prydderch ddim fod yn rhaid imi 'neud hynny," gwrthwynebodd Fflur. "Dweud wrtha i am beidio'u poeni nhw wnaeth hi. A do'n i ddim yn poeni Mrs Prydderch."

"Fflur!" chwarddodd Ffion. "Rhag dy gywilydd di! Pam dwi'n gorfod dioddef chwaer fel chdi?"

"Wn i ddim," atebodd Fflur, yn anelu'r camera at

Ffion. "Pam ti'n meddwl ein bod ni mor wahanol?"

Llithrodd Ffion i lawr a chuddio o dan ei dwfe. "Paid â'm ffilmio i yn y *gwely*!" protestiodd mewn llais aneglur. "Dos i gysgu. Mae gynnon ni wers ganu y peth cyntaf yn y bore!"

Trodd Fflur y camera arni'i hun a syllu'n ddifrifol i mewn iddo. "Dyma Fflur Lewis, model, seren bop a chyflwynwraig deledu, yn cloi'r rhaglen," meddai hi. "Nos da."

4. Gwersi

Gan fod Fflur a Ffion bob amser yn canu fel deuawd, roedden nhw'n cael eu gwersi canu gyda'i gilydd. Roedd gwers gyntaf y tymor newydd yn syth ar ôl brecwast a bu'n rhaid iddyn nhw frysio i fwyta er mwyn cyrraedd ystafell Mr Parri mewn pryd. Pan gyrhaeddon nhw, roedd yr athro'n siarad efo Mrs Jones a oedd yn cyfeilio iddo weithiau. Gwenodd y ddau'n glên ar yr efeilliaid.

"Dwi'n deall eich bod chi'ch dwy wedi cael newyddion da," meddai Mr Parri wrth eu croesawu nhw. "Dwi'n gwybod bod eich asiant wedi gobeithio cael cytundeb i chi ers tro byd, a rŵan dyma chi wedi cael un!"

"Do!" cytunodd Fflur yn llawn brwdfrydedd. "Mae Siwan Mererid wrth ei bodd. Hi ddwedodd y byddai'n syniad da inni ddod i Blas Dolwen, ac roedd hi yn llygad ei lle!"

"Mae'n rhaid inni ddal i ganu'n ddigon da i 'neud sengl," meddai Ffion yn dawel.

Yn amlwg, roedd hynny'n plesio Mr Parri. Gwenodd arni. "Ti'n iawn," cytunodd. "A bydd yn dipyn o waith. Ges i lythyr gan eich cwmni recordiau'n rhoi gwybod be maen nhw eisio i chi'i ddysgu. Mae 'na bedair cân, ac un ohonyn nhw wedi ei sgwennu'n arbennig ar eich cyfer chi."

"Waw!" meddai Fflur. "Gwych!"

"Mae'n alaw eitha anodd, ond dwi'n meddwl y llwyddwch chi i'w chanu hi'n iawn," meddai Mr Parri. "Yn ffodus dwi'n 'nabod Guto Rhydderch, eich cynhyrchydd yn y stiwdio recordio."

"Fydd hynny'n help?" gofynnodd Fflur.

"Wel, dwi wedi gweithio efo fo yn y gorffennol, a dwi'n gyfarwydd â'r math o sain mae o'n ei hoffi," meddai Mr Parri. "Dan ni wedi siarad amdanoch chi ar y ffôn ac wedi trafod be sy o fewn 'ych gallu chi."

"Da iawn!" meddai Fflur yn falch.

"Fydd o ddim yn disgwyl dim byd rhy glyfar, ond dydi hynny ddim yn dweud y bydd pethau'n hawdd chwaith," ychwanegodd. "Mae'n rhaid i bob cân fod yn berffaith. Ond paid â phoeni," meddai wrth Ffion oedd yn edrych yn bryderus iawn eto. "Bydd popeth yn iawn ond ichi ymdrechu gant y cant. A dwi'n siŵr y gwnewch chi hynny."

"Wrth gwrs!" meddai Fflur yn ddidaro. "Dan ni'n gneud hynny bob amser."

"Dowch 'laen, felly," meddai Mr Parri. "Rown ni gynnig arni. Fedrwch chi chwarae ychydig o raddfeydd, os gwelwch chi'n dda, Mrs Jones? Gychwynnwn ni gyda thipyn o ymarferion cynhesu inni gael gweld sut gyflwr sy ar eich lleisiau chi ar ôl yr holl bwdin Dolig!"

Doedd dim amser i roi cynnig o ddifri ar y caneuon, dim ond i fynd drwyddyn nhw unwaith neu ddwy a thrafod beth roedden nhw'n ei hoffi a ddim yn ei hoffi am bob un.

"Mae'r geiriau'n reit wirion yn y gân yna," meddai Fflur, yn dangos teitl y gân gyntaf roedden nhw wedi rhoi cynnig arni.

"Wn i be wyt ti'n ei feddwl," chwarddodd Mr Parri. "Ond mae'r alaw yn dda, yn tydi? A dweud y gwir, mae'n dipyn o sialens. Bydd yn golygu tipyn go lew o waith i chi os dach chi am ei dysgu hi'n drwyadl."

Nodiodd Fflur. "Dach chi'n iawn," cytunodd. "A dydw i ddim yn malio llawer ynghylch y geiriau," ychwanegodd. "Mae'n braf iawn cael cân wedi'i hysgrifennu ar ein cyfer ni, hyd yn oed un o'r enw 'Hwiangerdd y Blodau Bychain'!"

Crychodd Ffion ei thrwyn. "Well gen i 'Haf Olaf'," meddai hi. "Mae'n alaw hawdd ei chofio ac mae'r geiriau'n dda iawn. Gobeithio y medrwn ni ei rhyddhau hi fel sengl."

Edrychodd Mr Parri ar ei oriawr. "Dyna ddigon am heddiw," meddai wrthyn nhw. "Cofiwch ymarfer digon dros y dyddiau nesaf ac mi weithiwn ni'n galed ar y caneuon y tro nesa. Ddylech chi ddim bod yn rhy hir yn dysgu'u canu nhw'n wirioneddol dda."

Cyn gynted ag roedd y wers ganu ar ben, rhuthrodd yr efeilliaid i'w dosbarth Cymraeg. Wedi hynny, roedd yn amser egwyl canol bore. Teimlai Fflur awydd mawr am dipyn o hwyl ar ôl yr holl waith caled, a thynnodd ei chamera allan o'i bag.

"Fasat ti'n hoffi imi dy gyf-weld di?" gofynnodd i

Cochyn oedd ar ganol sgwrs efo Dan y tu allan i brif adeilad yr ysgol.

Gwenodd Cochyn. "Gei di 'nghyf-weld i *unrhyw* adeg," meddai. "Ar gyfer be mae o?"

"Er mwyn iti gael ymarfer dy dechneg deledu erbyn y byddi di'n enwog," atebodd Fflur. "Ac er mwyn i mi gael rhoi cynnig ar fy nhechneg cyf-weld i 'run pryd."

Edrychodd Cochyn yn siomedig. "O," meddai. "Ro'n i'n meddwl fod gen ti ddiddordeb ynof i."

"Mae gen i!" meddai Fflur wrtho, yn fêl i gyd. "Rwyt ti'n ddawnsiwr mor dda, ac mi wn dy fod wedi cael problemau ar ôl dy ddamwain. Mi fyddi di'n destun ardderchog ar gyfer cyfweliad pan fydda i'n cyflwyno fy sioe fy hun ar y teledu."

Chwarddodd Cochyn. "O, ty'd 'laen 'ta. Mae'n debyg y bydd yn help os bydd rhywun eisio fy nghyf-weld i go iawn rhyw ddiwrnod!"

"Eistedda ar y wal," meddai Fflur. "Wnei di ddal y camera, Ffion?"

Ochneidiodd Ffion. "Iawn," cytunodd. "Ond mae'n oer ofnadwy allan yn fan'ma. Paid â bod yn rhy hir.

Ro'n ar y ffordd i'r lle chwech, a bioleg ydi'r wers nesa. Dwi'm eisio bod yn hwyr."

"Wna i'r gwaith camera os wyt ti eisio," cynigiodd Dan.

"Wyt ti'n siŵr?" meddai Ffion yn falch. "Byddai hynny'n wych. Mi wna i y tro nesa, Fflur."

"Iawn," cytunodd Fflur. "Diolch, Dan. Ddangosa i iti be i'w 'neud."

Erbyn i Fflur, Dan a Cochyn orffen cael hwyl efo'r camera, roedden nhw braidd yn hwyr ar gyfer y wers bioleg. Llithrodd y tri yn euog i'w llefydd ac edrychodd Mrs Prydderch yn llym iawn arnyn nhw.

"Gobeithio na fydd hyn ddim yn digwydd eto," meddai hi. "Mae gynnon ni ddigon o waith caled i'w 'neud y tymor yma."

Arhosodd Fflur i'r athrawes droi oddi wrthi, ac yna crychodd ei thrwyn ar Cochyn. Rowliodd yntau'i lygaid ac roedd yn rhaid iddi fygu chwerthiniad. Doedd hi ddim eisiau codi gwrychyn Mrs Prydderch am yr eildro.

Wrth i'r dydd fynd yn ei flaen, cafodd Fflur hwyl yn sgwrsio efo pobl ar gamera. Plesiwyd y rhan fwyaf ohonyn nhw'n fawr am ei bod yn gofyn, hyd yn oed ar ôl iddyn nhw sylweddoli nad oedd y cyfweliad ar gyfer dim byd o bwys. Amser te eisteddodd Fflur i lawr i fwyta cyw iâr korma, gan deimlo'n fodlon iawn efo hi'i hun.

"Be amdanat ti?" gofynnodd i Llywela. "Dydw i ddim wedi dy gael di ar ffilm eto." Doedd Fflur ddim yn meddwl y byddai Llywela yn hawdd iawn i'w chyf-weld, ond erbyn hyn teimlai'n hyderus ac yn barod am sialens.

"Pam dylwn i fod eisio i ti 'nghyf-weld i?" gofynnodd Llywela. "Faint gwell fydda i?"

"Wel ... " Ymdrechodd Fflur i chwilio am ateb pendant. "Gallai fod yn help iti yn y dyfodol ... "

"Ie. Glywais i hynna i gyd," torrodd Llywela ar ei thraws. "Ond be am i *mi* roi cyfweliad i *ti?*"

"Wir?" Swniai hynny fel syniad ardderchog i Fflur. Roedd hi bob amser yn barod i sôn amdani'i hun.

"Ty'd 'laen," anogodd Cochyn. "Gad inni weld be wnei di yn y gadair boeth!"

"Ie," cytunodd Erin. "Dos amdani, Fflur!"

"Digon teg," meddai Fflur. "Ddangosa *i* ichi i gyd

sut mae gneud." Roedd Fflur yn amau y byddai Llywela'n ceisio rhoi amser caled iddi, ond teimlai'n sicr y gallai hi drin hyd yn oed y cyflwynydd mwyaf annifyr.

Cydiodd Llywela yn y camera a'i roi i Ffion. "Wyt ti'n gwybod sut i'w ddefnyddio?" gofynnodd.

"Gwn," atebodd Ffion. "Wyt ti'n siŵr dy fod ti eisio gneud hyn?" gofynnodd i'w chwaer.

"Popeth yn iawn," meddai Fflur yn hyderus. "Bydd yn fêl ar fysedd Llywela os na wna i."

Roedd Llywela'n brysur yn sgriblan ychydig o nodiadau. "Fy ngwestai heddiw," meddai wrth y camera, "yw un hanner y ddeuawd enwog Fflur a Ffion Lewis."

Gwenodd Fflur wrth i Ffion droi'r camera arni hi. "Helô," meddai.

"Ydi o'n wir mai ti ydi'r mwyaf swnllyd o'r ddwy?" gofynnodd Llywela'n bryfoclyd.

Edrychodd Fflur braidd yn anfodlon, yna penderfynodd gymryd y peth yn ysgafn. Wedi'r cyfan, tipyn o hwyl oedd o, dim byd mwy. "O, ydi!" meddai hi. "Mae fy chwaer yn ddifrifol ac yn gall. Fi ydi'r un sy'n llawn hwyl."

"Felly, *ti* gafodd y cytundeb recordio?" gofynnodd Llywela.

"O, nage," atebodd Fflur yn onest. "Ein hasiant gafodd y cytundeb inni. Ond mae'n gyfle gwych, a dan ni'n mynd i 'neud ein gorau glas i fanteisio ar y cyfle."

"Dwi'n clywed eich bod chi am recordio sengl?"

Nodiodd Fflur ei phen.

"Ydach chi'n mynd i fod yn perfformio hen gân lwyddiannus neu'n canu cân newydd?"

"A dweud y gwir," meddai Fflur yn falch, "mae'n rhaid inni ddysgu pedair cân, a dydi'r sengl ddim wedi cael ei dewis eto. Ond mae un gân wedi'i hysgrifennu'n arbennig ar ein cyfer ni."

"Waw!" meddai Llywela yn swnio'n edmygus iawn er ei gwaethaf. "Mae'n debyg mai honno fyddan nhw eisio'i defnyddio, felly. Be ydi'i henw hi?"

"Ym ..." petrusodd Fflur. Roedd hi wedi bod yn llawn cyffro wrth glywed bod cân wedi'i hysgrifennu ar eu cyfer, ond doedd hi ddim yn hoffi'r geiriau. Mae'n debyg y byddai'n gwerthu'n dda, ond hen gân dila iawn oedd hi yn ei barn hi.

"Methu cofio wyt ti?" gofynnodd Llywela braidd yn angharedig.

"Nage siŵr!" atebodd Fflur yn ddig. " 'Hwiangerdd y Blodau Bychain' ydi'i henw hi."

Lledodd gwên ar draws wyneb cuchiog arferol Llywela wrth glywed yr ateb aneglur. "Hoffet ti ailadrodd y teitl rhag ofn na chlywson ni'n iawn?" pryfociodd.

" 'Hwiangerdd y Blodau Bychain'," meddai Fflur wedyn, gan edrych yn gas iawn ar Llywela.

"Fyddet ti'n ei disgrifio fel cân ddifrifol?" holodd Llywela.

"Dwi'n deall," torrodd Cochyn ar draws. "Oherwydd eich henwau chi! Fflur – gair arall am flodau. Ffion – fel yn y blodyn. Enw arall ar fysedd y cŵn. Am hwyl! Fedri di gadw wyneb syth wrth ei chanu hi, Fflur? Sut mae pethau'n mynd?"

Rhoddodd Ffion y gorau i ffilmio'i chwaer. "*Mae'n* hurt, tydi?" cytunodd. "Ond nid ein penderfyniad ni ydi o. Fetia i fod Llywela'n iawn ac mai honna fydd gân fyddan nhw'n dewis ei rhyddhau!"

"Ty'd 'laen, Fflur. Gad inni glywed y geiriau!"

crefodd Cochyn. "Gad inni gael tipyn o hwyl!"

"Na wnaf," meddai Fflur yn ddig. "Nid jôc ydi hi. Dwedodd Siwan Mererid y gallai fod yn llwyddiant mawr os dan ni'n lwcus."

"Ac os dan ni'n *an*lwcus," ychwanegodd Llywela'n bryfoclyd, "gallai fod yn fwy fyth o lwyddiant hyd yn oed!"

5. Pryfocio Fflur

Bu Fflur yn flin fel tincer efo Llywela a Cochyn am weddill y dydd.

"Paid â chymryd sylw ohonyn nhw," meddai Ffion wrthi. "Mi wnân nhw roi'r gorau iddi'n fuan iawn wedyn."

Ond fedrai Fflur yn ei byw ag anwybyddu'r pryfocio. Roedd hi wedi bod o ddifri ynghylch ei gwaith erioed, felly roedd yr holl dynnu coes yn dân ar ei chroen. Pan oedd gweithgareddau diwedd y pnawn ar ben, ac yn bryd i bawb fynd yn ôl i'w tai dros nos, pryfociodd Cochyn hi unwaith yn rhagor.

"Nos dawch, genod," galwodd wrth gychwyn draw i dŷ'r bechgyn gyda Dan ac Ed. "Cofiwch ganu 'Hwiangerdd y Blodau Bychain' i suo pawb i gysgu!" Rhoddodd ei ben ar un ochr, ei ddwylo o dan ei glust a chau'i lygaid gan smalio chwyrnu'n drwm.

Chwarddodd Ffion, ond roedd Fflur o'i cho. "Rwyt ti'n ei 'neud yn waeth!" meddai'n ddig wrth ei chwaer. "Ac mae o'n ddigon hurt yn barod."

"Wn i ddim pam rwyt ti'n cynhyrfu gymaint," meddai Ffion yn dawel. "Dwi ddim. Ac mae'n debyg y bydda innau'n teimlo'r un mor wirion pan ddaw hi'n amser canu'r geiriau yna."

"Fydda *i* ddim yn teimlo'n wirion!" arthiodd Fflur. "Cofia ein bod ni'n broffesiynol. Dyna'r math o beth fydd yn gwerthu'n dda ym marn y cwmni recordiau. Felly fe fydden ni'n hurt i recordio unrhyw beth arall!"

"Byddai'r rhan fwyaf o'r myfyrwyr yma'n gwirioni wrth gael cyfle i recordio sengl," ychwanegodd Erin. "Dim ots beth fyddai'i henw hi."

Ond *roedd* ots gan Fflur. Fu hi erioed yn dda am chwerthin am ei phen ei hun ac am gael tynnu'i choes, ac yn sicr doedd hi ddim yn gwerthfawrogi cael ei phryfocio.

Gobeithiai Fflur y byddai pawb wedi anghofio

ynghylch y gân erbyn drannoeth ond, amser cinio, bu Cochyn yn diddanu'i ffrindiau drwy ddyfynnu'r geiriau iddyn nhw.

"Sut cest ti afael ar ein geiriau ni?" holodd Fflur yn ddig. Gwyddai'n iawn nad oedd hi na Ffion wedi gadael geiriau'r gân yn unman o gwmpas y lle.

"Deryn bach roddodd nhw imi," atebodd Cochyn.

Gwridodd Fflur yn ddig. "Eu darllen nhw yn stafell Mr Parri wnest ti!" meddai'n gyhuddgar. "Ro'n i'n methu deall pam roeddet ti mor hir yn dod allan ar ddiwedd ei wers olaf. Mae'n rhaid mai aros i Ffion a fi adael oeddet ti. 'Rhen snîch bach!"

"Does dim rheolau'n rhwystro neb rhag darllen geiriau pobl eraill," atgoffodd Cochyn hi'n rhesymol.

Roedd hynny'n berffaith wir. Ac er mai dawns oedd prif bwnc Cochyn, câi wersi canu gyda gweddill ei ddosbarth. Doedd dim rheswm pam na fedrai edrych drwy'r gerddoriaeth yn yr ystafell gerdd. Gofalai Mr Parri bob amser fod cerddoriaeth y myfyrwyr i gyd mewn lle hawdd i bawb gael gafael arno, rhag ofn y bydden nhw ei hangen. Rhyw funud neu ddau yn unig fyddai Cochyn wedi bod yn dod o hyd i gân yr efeilliaid a darllen y geiriau. Yn anffodus i Fflur, roedd gan Cochyn gof hynod o dda ac roedd wedi dysgu'r rhan fwyaf o'r gân er mwyn ei phryfocio hi!

Ella'n wir fod 'Hwiangerdd y Blodau Bychain' *braidd yn bethma*, meddyliodd. *Ond fydd Llywela na Cochyn ddim yn chwerthin os bydd hi'n llwyddiant ysgubol!*

Doedd Fflur ddim eisiau gadael i'r pryfocio dynnu'r sglein oddi ar y cytundeb recordio, ond teimlai'n ddig iawn tuag at ei ffrindiau. *Rhag eu cywilydd nhw'n meiddio chwerthin am fy mhen i!* tantrodd. *Ddangosa i iddyn nhw. Feddylia i am ffordd arall o brofi mor aml-dalentog ydw i! Gân' nhw weld!*

Meddyliodd am y cyfweliad teledu fu dros y Nadolig. Petai hi ond yn llwyddo i gael swydd fel cyflwynydd! Ond gwyddai'n iawn nad oedd fawr o obaith i hynny ddigwydd ar y funud. Yna cofiodd am y cyngerdd ysgol. Nid rhaglen deledu oedd hynny, ond roedd yn rhaid i rywun gyflwyno'r eitemau. Aelod o'r staff fyddai'n gwneud fel arfer, ond doedd bosib nad oedd unrhyw reswm pam na allai un o'r myfyrwyr wneud y gwaith? Byddai hynny'n dangos i Cochyn a Llywela y gallai hi wneud llawer mwy na chanu cân ac iddi eiriau hurt. Roedd hi hefyd yn rhywun y gellid dibynnu arni ac i'w chymryd o ddifri.

"Breuddwydio am fod ar frig y siartiau?" gofynnodd Erin wrth weld Fflur mor feddylgar.

"Pam lai?" meddai Fflur. "Mae 'na bethau rhyfeddach wedi digwydd! Gwych fyddai hynny, yntê?"

"Mae hi wrthi'n cynllunio'r albwm!" meddai Llywela'n sbeitlyd. "Be fydd y teitl? 'Ffalabalam Fflur a Ffion'?"

"A dweud y gwir," meddai Fflur, "meddwl am fynd i weld y Pennaeth o'n i." Gwenodd wrth weld y syndod ar eu hwynebau. Doedd hyd yn oed Ffion ddim yn gwybod beth roedd hi'n bwriadu ei wneud.

Roedd Fflur wedi penderfynu mynd i weld Mrs Powell gynted fyth ag y gallai. Byddai'r cyngerdd nesaf adeg yr hanner tymor, yn ôl yr arfer, felly doedd dim amser i'w golli cyn rhoi ei chynllun ar waith.

"Pam rwyt ti'n mynd i weld y Pennaeth?" holodd

Cochyn yn fusnes i gyd.

"A-ha!" meddai Fflur. "Mi fyddet ti wrth dy fodd yn gwybod, 'yn byddet? Ty'd 'laen, Ffion. Brysia wir, neu byddwn yn hwyr i'n gwers."

Canu gyda Mr Parri oedd y wers nesaf, ac roedd y ddwy i fod i weithio ar 'Hwiangerdd y Blodau Bychain'.

"Wir, Fflur, ddylet ti fod yn gwybod y geiriau erbyn hyn," meddai Mr Parri wrth iddi ddrysu yn y cytgan. "Wn i mai dim ond diwrnod neu ddau sydd er pan gawsoch chi nhw, ond fel arfer rwyt ti'n dysgu'r geiriau'n gyflym iawn. Gwranda:

"Si-lwli Fflur y ddôl,
Si-lwli Ffion y ffridd.
Awel yn chwythu,
Petalau yn gwenu,
Pennau yn plygu,
Si-lwli-lw,
Si-lwli-lw,
Hunant yn dlws yn y pridd.
"Iawn?"

“Mae’n ddrwg gen i,” ymddiheurodd Fflur.

“Dowch inni roi cynnig arall arni. Dwi eisio i chi ganolbwyntio ar y brawddegu. Cymer anadl yma,” meddai wrth Fflur, yn dangos yr union fan ar y geiriau iddi. “Paid â thrio canu’r llinell i gyd ar un gwynt. Mae’n swnio’n annaturiol.”

“Wnei di ddim peidio canolbwyntio ar ein caneuon ni, na wnei?” meddai Ffion yn bryderus ar ôl y wers. Roedd Fflur wedi sôn wrth ei chwaer am ei syniad o gyflwyno’r cyngerdd, a Ffion yn ofidus braidd. “Dwi’n poeni dy fod ti’n cymryd gormod ar d’ysgwyddau.”

Cofleidiodd Fflur hi’n gyflym. “Paid â phoeni,” meddai. “Dwi’n gwybod yn iawn be dwi’n ’neud.”

Oherwydd fod gwersi drwy’r dydd, ni fedrai Fflur fynd i weld Mrs Powell tan ar ôl te. Y cyfle cyntaf gafodd hi, brysiodd i fyny’r grisiau i ystafell y Pennaeth a churo ar y drws agored.

“Helô, Fflur,” meddai Mrs Powell o’r tu cefn i’w desg anferth. “Be fedra i ei ’neud i ti? Dwi’n clywed bod pethau’n mynd yn dda iawn i chi ar y funud. Dwi’n siŵr dy fod ti wrth dy fodd ynghylch y cytundeb recordio."

"Ydw, diolch," atebodd Fflur. Rywfodd, roedd rhywun bob amser ar bigau'r drain yn siarad efo Mrs Powell, heb hyd yn oed fod mewn helynt. Felly safodd yn gefnsyth gan ymdrechu i swnio'n hyderus. "Eisio sôn am y cyngerdd nesaf efo chi oeddwn i," meddai.

"O?"

Rhoddodd fras-gynllun o'i syniad a gwrandawodd Mrs Powell yn astud.

"Wel, dwi'n meddwl bod gadael i ddisgyblion gael cyfle i gyflwyno cyngherddau'n syniad da," meddai Mrs Powell unwaith roedd Fflur wedi gorffen. "Fedrwn ni gael amryw o gyflwynwyr ar gyfer pob cyngerdd, neu dim ond un. Ella y dylen ni ofyn am wirfoddolwyr." Edrychodd ar Fflur. "Neu oeddet ti'n meddwl y medret ti 'neud y cyfan dy hun?"

Gwridodd Fflur. "Wel ..." cychwynnodd.

Gwenodd Mrs Powell, yn adnabod Fflur yn dda. "Rwyt ti am 'neud y cyfan dy hun?" holodd.

Nodiodd Fflur a chwarddodd Mrs Powell.

"Ro'n i'n meddwl hynny," meddai. "Paid â phoeni.

Fyddai gen ti ddim gobaith caneri yn y byd diddanu petait ti'n greadures fach swil sydd ag ofn ei chysgod. Ond mi wyddost ti hynny'n iawn, mae'n siŵr?"

"Gwn," cytunodd Fflur.

"Wel, dwi ddim yn sicr o gwbl ynghylch gneud y cyfan ar dy ben dy hun, ond gan mai dy syniad ydi o, wela i ddim pam na chei di roi'r cynnig cyntaf ar gyflwyno," meddai Mrs Powell. "Ga i air efo'r athrawon i weld be maen nhw'n feddwl. Dydi Huwcyn ap Siôn Ifan ddim wedi ailddechrau gweithio eto ar ôl bod yn sâl, ond pan ddaw o'n ôl dwi'n sicr y bydd o'n frwdfrydig iawn. Mae o wrth ei fodd pan fydd y myfyrwyr yn cymryd y cam cyntaf ac yn gneud rhywbeth o'u pen a'u pastwn eu hunain."

"Diolch!" meddai Fflur, wedi'i phlesio'n fawr fod Mrs Powell wedi cytuno mor rhwydd efo'i syniad.

"Ond gofala nad ydi o ddim yn ymyrryd â dy waith arall di," siarsiodd Mrs Powell. "Dwi'n siŵr mai ar y canu y byddi di'n canolbwyntio, ond mae gwersi eraill yn bwysig hefyd."

Nodiodd Fflur yn frysiog. Dyna oedd pregeth y

Pennaeth bob amser – yr un hen dôn gron!

Fel roedd hi'n cau'r drws tu cefn iddi, lledodd gwên fawr lydan dros wyneb Fflur. Beth fyddai gan Cochyn a Llywela i'w ddweud pan glywen nhw ei bod hi'n mynd i gyflwyno'r cyngerdd yn ogystal â chanu efo Ffion? Efallai y byddai hi hyd yn oed yn cael rhagor o farciau Sêr y Dyfodol am fod yn gyflwynydd gwych! Doedd yr efeilliaid ddim wedi ennill digon o farciau i ymddangos yng nghyngerdd Sêr y Dyfodol y tymor diwethaf, felly efallai y byddai hyn yn help i chwyddo'u cyfanswm ar gyfer y nesaf.

Carlamodd i lawr y grisiau a rhuthro draw i Fron Dirion. Byddai'n amser gwaith cartref yn fuan iawn, ond yn awr roedd y tair a rannai ei hystafell i gyd gyda'i gilydd yn eu llofft.

"Wyddoch chi be?" cyhoeddodd Fflur, gan ffrwydro i mewn yn berwi o gyffro.

Edrychodd Ffion i fyny oddi ar y llyfr roedd hi'n ei ddarllen a gwenu ar ei chwaer. "Rwyt ti'n cael gneud, felly?" holodd.

Nodiodd Fflur, ei llygaid yn disgleirio.

"Cael gneud be?" gofynnodd Erin.

Ddywedodd Llywela 'run gair, ond gwelai Fflur ei bod hi wedi rhoi'r gorau i'r hyn roedd hi'n ei wneud ac yn aros am yr ateb.

"Fi fydd cyflwynydd swyddogol y cyngerdd hanner tymor," cyhoeddodd Fflur. "Mae popeth wedi'i drefnu! Mae Mrs Powell yn meddwl ei fod yn syniad gwych, ac wrth gwrs bydd yn ymarfer rhagorol ar gyfer fy ngyrfa ar y teledu yn y dyfodol!"

"Waw!" meddai Erin. "Syniad pwy oedd hynna?"

"F'un i," cyfaddefodd Fflur, yn teimlo'n fodlon iawn arni'i hun.

"Wrth gwrs!" wfftiodd Llywela. "Pwy arall fyddai'n mynnu cael y sylw i gyd?"

"Wiw i neb guddio o'r golwg yn y busnes yma," meddai Fflur wrthi'n bendant. "Gei dithau gyfle hefyd, Llywela. Mae Mrs Powell yn ystyried gofyn am wirfoddolwyr yn y dyfodol. Ond fi sy'n gneud y tro yma am mai fy syniad i oedd o."

"Digon teg," cytunodd Erin.

"Ac mae'n syniad da," ychwanegodd Llywela, er mawr syndod i Fflur. "Wel *mae* o," meddai hi wedyn. "Mae cyflwyno'n ffordd arall o gysylltu â chynulleidfa, gan gadw'r awenau yn dy ddwylo ar yr un pryd. Mae'n rhaid inni i gyd fedru gneud hynny'n dda."

Rhythodd Fflur ar Llywela. Doedd hi ddim wedi sylweddoli pa mor ddefnyddiol fyddai gallu gwneud hynny iddyn nhw fel perfformwyr.

"Diolch yn fawr iti, Llywela," meddai gan wenu arni, wedi anghofio'r cyfan am y pryfocio. "Dwi'n falch dy fod ti'n sylweddoli bod gen i fwy i'w gynnig na dim ond 'Hwiangerdd y Blodau Bychain'!"

6. Cam Bach yn Ôl

Yn sicr, roedd gan Fflur a Ffion hefyd fwy i'w gynnig na 'Hwiangerdd y Blodau Bychain', ond edrychai'n debyg mai dyna'r gân fyddai'n uchafbwynt eu gyrfa hyd yn hyn. Roedd Fflur wrth ei bodd gyda'r teimlad cyffrous o wybod ei bod hi a Ffion bellach yn aelodau go iawn o'r byd canu pop, a chytundeb recordio i brofi hynny!

Ond tra oedd Ffion yn dal ati i ganolbwyntio ar ddysgu'r caneuon yn ogystal â gwneud ei gwaith ysgol, roedd gan Fflur fwy o ddiddordeb mewn teimlo fel seren bop go iawn. A doedd hynny ddim fel petai'n cynnwys gweithio'n galed tuag at ei huchelgais, chwaith. Roedd hi bob amser wedi bod yn hollol broffesiynol ei hagwedd, ond yn awr teimlai fel petai'r sengl eisoes wedi'i chwblhau ac nad oedd angen rhyw lawer o ymdrech ganddi hi. Roedd hi wedi gwibio fel iâr fach yr haf o'r naill beth i'r llall erioed, yn ei chael yn anodd i ganolbwyntio ar ei gwaith academaidd, er ei bod yn gwybod yn iawn ei fod yn bwysig. Yn awr teimlai ei bod ar frig ton o lwyddiant ac y gallai droi ei llaw at unrhyw beth. Roedden nhw wedi bod yn modelu dillad ers blynyddoedd. Yn awr roedd ganddyn nhw gytundeb recordio, ac roedd hi'n benderfynol o fod yn gyflwynydd teledu hefyd. Pam lai? Gwyddai Fflur y gallai hi wneud y cyfan!

Ond doedd pethau ddim yn rhy dda. Oedd, roedd Fflur wedi bod yn mynd â'i phen yn y gwynt o'r naill ddiwrnod llawn hwyl i'r llall, ond roedd Mr Parri'n dechrau colli'i limpyn efo hi. Roedd yntau'n berson proffesiynol hefyd, yn deall y diwydiant cerddoriaeth yn drwyadl gan iddo unwaith fod yn ganwr enwog ei hun. Deallai werth caneuon bachog, hawdd eu cofio. Gallai unrhyw un o'r caneuon roedden nhw'n eu dysgu fod yn llwyddiant i'r efeilliaid, ond pa gân bynnag ddewisid, roedd yn rhaid i bob nodyn fod yn berffaith. Fyddai'r un cwmni recordiau'n fodlon gwario arian ar hyrwyddo sengl wedi'i rhoi at ei gilydd yn wael, ac roedd yn rhaid i'r genethod brofi y gallen nhw wneud y gwaith.

"Ty'd 'laen, Fflur. Dwyt ti ddim yn canolbwyntio," meddai am y canfed tro yn ystod gwers gynnar un bore. "Fydd y cwmni recordiau ddim yn cael eu plesio efo ti os na fedri di swnio'n well na hynna! Rwyt ti'n canu'n fflat!"

"Mae'n ddrwg gen i." Llusgodd Fflur ei meddwl o'r hyn roedd hi'n cynllunio i'w ddweud ar ddechrau'r cyngerdd. Roedd angen rhywbeth ysbrydoledig i gael pawb mewn hwyliau da. "Beth am ei 'neud eto?" cynigiodd.

"Na," meddai Mr Parri. "Does gynnon ni ddim rhagor o amser. Dwi eisio iti ymarfer efo Ffion cyn y wers nesaf. Rwyt ti'n hollol abl, ond dwyt ti ddim yn gneud hanner digon o ymdrech. Ac mae angen llawer iawn o waith ar dy unawd di yn 'Hwiangerdd y Blodau Bychain'."

Gwnaeth Fflur yn ysgafn o sylwadau Mr Parri unwaith iddyn nhw fynd o'r ystafell. "Dydan ni ddim i fod yn y stiwdio recordio tan yr wythnos nesaf," meddai wrth ei chwaer. "A' i dros y gân rywbryd ddiwedd yr wythnos. Bydd yn iawn wedyn. Wyddost ti be?" ychwanegodd. "Dwi wedi bod yn meddwl sut i groesawu'r rhieni a phawb i'r cyngerdd. Dylai fod yn araith a hanner."

Rhythodd Ffion ar ei chwaer. "Be wyt ti'n feddwl, *araith*?" gofynnodd. "Ro'n i'n meddwl mai cyflwyno'r eitemau oeddet ti, nid areithio!"

"Wel ..." meddai Fflur gan wrido. "Ella na fydd hi ddim yn *araith* yn hollol, ond mae'n rhaid imi feddwl sut i gyflwyno pawb."

"Fflur, dwi'n meddwl dy fod ti'n mynd dros ben llestri efo hyn," meddai Ffion, wedi dychryn. "Ti'n gwybod yn iawn mai Mrs Powell sy wastad yn gneud y rhan yna o'r cyngerdd."

Cododd Fflur ei hysgwyddau'n ddidaro. "Ond gallai hi awgrymu mod i'n gneud," meddai wrth Ffion. "Felly mae'n rhaid i mi fod yn barod, rhag ofn."

"Ddylet ti fod yn treulio mwy o amser ar bethau rwyt ti'n *gwybod* bod yn rhaid i ti eu gneud, nid yn paratoi araith na fyddi di byth mo'i hangen," meddai Ffion, yn swnio'n wirioneddol bryderus.

Edrychodd Fflur yn gas iawn arni. "Dwi'n

uchelgeisiol," meddai, "ac os ydi hynny'n golygu gweithio ar rywbeth falle na fydda i'n ei ddefnyddio, yna mi wna i." Swniai'n hunangyfiawn, a gwelai'n syth nad oedd yn llwyddo i ddarbwyllo'i chwaer. "Os nad wyt ti'n cytuno, wfft i ti," ychwanegodd yn styfnig. Rhedodd yn ei blaen i'r tŷ, gan adael Ffion yn sefyll yn syfrdan.

Gan wthio rhybudd ei chwaer i gefn ei meddwl, canolbwyntiodd Fflur ar ei pharatoadau ar gyfer y cyngerdd hanner tymor. Gan fod dros wythnos tan y sesiwn recordio yn y stiwdio, roedd hen ddigon o amser i gael trefn ar ei hunawd. Yn y cyfamser, roedd hi'n cael hwyl yn cynllunio'i rhan hi yn y cyngerdd. Tybed fedrai hi osod ei stamp ei hun arno? Bu'n meddwl yn galed, ac o'r diwedd cafodd syniad. Beth am recordio'i hun yn sgwrsio gyda'r perfformwyr a threfnu bod y cyfweliadau'n cael eu fflachio ar sgrin fawr rhwng pob act? Byddai hynny'n rhoi gwedd wahanol ar gyngerdd yr ysgol, yn gwneud iddo edrych yn fwy proffesiynol. Ac iddi hi y byddai'r diolch! Iawn! Byddai'n gyrru nodyn i awgrymu hynny i Mrs Powell.

Yn ogystal, penderfynodd Fflur y byddai'n anfon pwt o ffilm ohoni'i hun yn cyflwyno'r cyngerdd i'r cynhyrchydd roedd hi wedi'i gyfarfod pan oedd Ffion a hithau'n cael eu cyf-weld ar y teledu. Gwyddai ei fod o hefyd yn un o gynhyrchwyr rhaglen bop a gâi ei chyflwyno'n aml gan gyflwynwyr gwadd. Ie! Byddai hynny'n ffordd dda o gael ei throed yn y drws, yn enwedig a 'Hwiangerdd y Blodau Bychain' yn dechrau gwneud yn dda. Gyda'i chân yn saethu i frig y siartiau, byddai'r cynhyrchydd yn *sicr* eisiau iddi fod yn gyflwynydd gwadd. Cam bychan yn unig wedyn fyddai iddi gael ei rhaglen ei hun!

Ac wrth gwrs, byddai'n anfon y ffilm at Siwan Mererid hefyd. Byddai hi wrth ei bodd. Doedd wybod pa gyfle fyddai'n dilyn cael cyhoeddusrwydd o'r fath. Gallai Fflur fod yn seren anhygoel o enwog ymhen dim!

Pan gyrhaeddodd hi'n ôl i'r tŷ, edrychodd Fflur yn ei blwch llythyrau yn ôl ei harfer. Yn aml iawn byddai'n wag, ond weithiau anfonai eu rhieni gerdyn neu lythyr gyda newyddion o gartref. Heddiw, roedd yno rywbeth. Nid llythyr – ond nodyn yn dweud wrthi am fynd i weld Mrs Powell.

Bellach doedd mynd i weld y Pennaeth ddim yn ei phoeni o gwbl. Yn wir, croesawai'r cyfle. *Ga i gyfle i sôn wrthi am fy syniad o recordio cyfweliadau*, meddai wrthi'i hun gan ollwng ei llyfrau gwersi a chydio mewn llyfr nodiadau. Efallai y byddai arni angen nodi pethau eraill ynghylch y cyngerdd roedd Mrs Powell am eu trafod efo hi, ac roedd arni eisiau edrych fel petai o gwmpas ei phethau.

Roedd Ffion ac Erin yn dod i mewn i'r tŷ fel roedd hi'n mynd allan. Teimlai braidd yn euog am wfftio at ei chwaer. Chwarae teg, dim ond ceisio helpu oedd Ffion. Ond doedd Fflur ddim yn awyddus i ddweud unrhyw beth o flaen Erin. Gallai ymddiheuro'n nes ymlaen petai Ffion yn dal yn flin. Yn lle hynny, wedi cyffwrdd braich ei chwaer yn annwyl, gwenodd arni'n gyflym. "Mae gen i gyfarfod efo Mrs Powell," meddai'n wên i gyd wrth y ddwy. "Wela i chi'n nes ymlaen."

Cerddodd yn sionc draw i'r prif adeilad ac i fyny'r grisiau. Doedd yr ysgrifenyddes ddim wrth ei desg, ond roedd drws swyddfa Mrs Powell ar agor. Pan welodd hi Fflur, amneidiodd Mrs Powell arni i ddod i mewn.

"Roeddech chi eisio 'ngweld i?" meddai Fflur, yn teimlo'n llai hyderus wrth weld wyneb y Pennaeth.

"Dwi'n blino gorfod rhybuddio myfyrwyr na ddylai eu gwaith ysgol ddioddef pan fyddan nhw am 'neud pethau eraill," meddai hi wrth Fflur. "Mae'n debyg eich bod chi i gyd yn cael llond bol arna i'n dweud hynny hefyd."

Wyddai Fflur ddim yn iawn oedd hi i fod i ateb, felly ddywedodd hi 'run gair.

"Ond dwi bob amser yn golygu yr hyn dwi'n ei ddweud," aeth Mrs Powell ymlaen. "A does dim eithriad o gwbl i'r rheol, dim ots pa mor enwog ydi neb. Dydi myfyrwyr sy'n methu dal ati gyda gwersi cerdd a phynciau academaidd ddim yn cael gneud pethau ychwanegol. Mae dy raddau tebygol di gen i yn y fan hyn."

"O," meddai Fflur.

"Ie. O," cytunodd Mrs Powell yn filain. "Nid yn unig mae'r staff academaidd yn cwyno yn dy gylch di, ond mae Mr Parri'n anfodlon hefyd. Mae *hynny'n* fy synnu i'n arw. Rwyt ti'n arfer bod mor broffesiynol ynghylch unrhyw beth i'w 'neud â'th ddyfodol. Rŵan, yn fwy nag erioed, mae angen iti fod wedi paratoi'n drwyadl. Pryd rydach chi i fod i recordio?"

"Ddim tan yr wythnos nesaf," meddai Fflur.

"Wel, mae Mr Parri'n meddwl nad wyt ti ddim hyd yn oed yn agos at fod yn barod ar gyfer sesiwn recordio ar y funud," meddai'r Pennaeth wrthi. "Felly, mae'n well iti 'neud yn siŵr fod gen ti amser ar gyfer digon o ymarferion ychwanegol er mwyn gofalu dy fod ti'n *berffaith* barod mewn pryd." Edrychodd Mrs Powell yn graff ar Fflur. "Os bydd dy berfformiad di'n siomedig, bydd hynny'n adlewyrchu'n wael ar yr ysgol," meddai, "ac wedyn, mi fydda i'n wirioneddol flin. Felly fydd dim rhagor o sôn amdanat ti'n cyflwyno'r cyngerdd nes bydd dy waith yn gwella. Dy *holl* waith, hynny ydi. Dwyt ti ddim haws â phrotestio," ychwanegodd fel roedd Fflur ar fin agor ei cheg. "Mae'n rhaid imi weld gwelliant mawr yn dy raddau di. Os byddan nhw'n foddhaol, iawn. Gei di ddal ati, ond *nid* nes byddan nhw."

Aeth Fflur yn ôl i lawr y grisiau mewn tymer ddrwg iawn. *Dydi o ddim yn deg*, meddai wrthi'i hun. *Dwi'n dda i ddim mewn pynciau fel mathemateg a gwyddoniaeth, felly pam mae'n rhaid i mi eu hastudio nhw?* Ond yn ei chalon gwyddai nad oedd gobaith dianc rhag rhybudd Mrs Powell. Os oedd hi am gyflwyno'r cyngerdd hanner tymor, roedd yn rhaid iddi setlo i lawr i weithio a gwneud mwy o ymdrech.

O leia does dim rhaid imi ddweud wrth neb be ddwedodd hi, meddai Fflur wrthi'i hun. Dim ond imi gau 'ngheg a chael graddau derbyniol, ga i gyflwyno'r cyngerdd a fydd neb ddim callach.

Wrth iddi gerdded yn ôl i Fron Dirion, tŷ'r genethod, ceisiodd feddwl am reswm digonol i'w roi i'r lleill pam roedd hi wedi gorfod mynd i weld y Pennaeth. Ond pan gyrhaeddodd hi'n ôl i'w hystafell, diflannodd pob syniad am gyfansoddi stori o'i meddwl pan welodd wyneb ei chwaer.

"Be yn y byd mawr sy'n bod?" gofynnodd i Ffion. Edrychai ei chwaer yn welw ac yn bryderus. Suddodd calon Fflur. "Wyt ti'n iawn? Oes rhywun wedi cael damwain?" gofynnodd. "Dweda wrtha i'r munud 'ma! Be sy wedi digwydd?"

"Siwan Mererid sy newydd ffonio," meddai Ffion. "Mae'r cwmni recordiau wedi cysylltu â hi i ddweud bod un o'u sêr nhw'n sâl ac yn methu gweithio fory. Maen nhw wedi llogi stiwdio ddrud a dydyn nhw ddim eisio gwastraffu'r sesiwn."

"Felly . . ?" gofynnodd Fflur yn ddryslyd.

"Roedden nhw'n gofyn i Siwan a fedren ni recordio fory, yn lle'r wythnos nesaf," ychwanegodd Ffion. Edrychodd yn bryderus ar ei chwaer, gan geisio dyfalu sut byddai hi'n ymateb.

Wrth iddi sylweddoli beth yn union oedd arwyddocâd geiriau ei chwaer, teimlodd Fflur fel petai'r byd ar ben. Saethodd ei dwylo at ei hwyneb, a chlywai ei chalon yn curo'n galed. Recordio fory? Nid dyna oedd hi wedi'i gynllunio! Doedd bosib y medren nhw 'u gorfodi i recordio *fory*?

"Be ddwedodd Siwan?" gofynnodd yn wantan, ond gwelai'r ateb ar wyneb Ffion.

"Cytuno wnaeth hi," meddai Ffion wrthi. "Dweud ein bod ni bob amser yn paratoi'n ddigon buan o flaen llaw. Dweud ei bod hi'n siŵr y byddai popeth yn iawn."

Griddfanodd Fflur. Roedd hi wedi bod yn hyderus y bydden nhw'n barod ymhen wythnos, ond nid erbyn fory. Doedd hi ddim yn ddigon da, a gwyddai hynny.

7. Syniad Da

Gwyddai Fflur yn iawn fod Erin a Llywela'n ei gwylio i weld beth fyddai ei hymateb, ond gan ei bod hi wedi dychryn cymaint doedd dim ots ganddi. Yn lle cymryd arni nad oedd yn malio, suddodd i eistedd ar ei gwely. "Pam yn y byd mawr wnaeth Siwan gytuno?" gofynnodd. "Dylai hi fod wedi ffonio Mr Parri i holi a oedden ni'n barod ai peidio. A ddylai hi ddim fod wedi newid ein trefniadau heb ofyn i ni i ddechrau!"

"Dwedodd hi y byddai'r cynhyrchydd yn deall os byddwn ni angen ychydig bach o amser ymarfer i 'neud yn siŵr bod y trac yn berffaith," meddai Ffion heb sôn o gwbl mai dim ond Fflur oedd heb baratoi'n iawn. "Dim ond ychydig ddyddiau'n gynt na'r disgwyl ydi o."

"Mae ychydig ddyddiau'n gallu gneud

gwahaniaeth mawr," cwynodd Fflur. "Fedra i ddim recordio fory. Mae'n amhosib. Be dan ni'n mynd i 'neud?" Tynnodd anadl ddofn a cheisio canolbwyntio. *Dwi'n siŵr bod rhyw ffordd o newid y trefniadau*, meddai wrthi'i hun. *Dim ond mymryn rhagor o amser dwi'i angen.* "Wn i," meddai, yn codi'i chalon rhyw fymryn bach. "Ffonia i i ddweud wrth Siwan na fedrwn ni ddim mynd. Bydd raid iddyn nhw ddod o hyd i rywun arall i lenwi'r bwlch. Nid ein bai ni ydi o fod rhyw ganwr yn sâl!" Swniai hynny'n syniad da iawn. Pam dylai hi a Ffion newid eu cynlluniau?

Ymbalfalodd Fflur yn ei bag ac estyn ei ffôn symudol. Gwelodd Erin a Llywela'n edrych ar ei gilydd, ond anwybyddodd nhw. Doedd ganddyn nhw ddim asiant, felly doedd dim posib iddyn nhw ddeall y sefyllfa. Wedi'r cyfan, gwaith Siwan Mererid oedd gofalu bod yr amseru'n iawn cyn derbyn unrhyw beth ar eu rhan, yntê?

"Fflur?" Swniai Ffion yn bryderus.

"Be?"

"Wyt ti'n meddwl y dylet ti?"

Edrychodd Fflur yn ddeifiol ar ei chwaer wrth agor ei ffôn. Atebodd Siwan ar ei hunion, ond doedd dim modd i Fflur newid ei meddwl.

"Roeddet ti'n gwybod yn iawn y byddech chi'n recordio'n fuan," meddai wrth Fflur. "Ac mae Plas Dolwen bob amser yn paratoi myfyrwyr yn dda iawn ar gyfer unrhyw gytundeb. Be ydi'r broblem? Mae'n anodd gen i gredu nad ydach chi ddim yn barod."

Dyna'n union beth roedd Fflur eisiau'i ddweud, ond roedd ganddi ormod o gywilydd cyfaddef hynny.

Ceisiodd egluro: "Dwi wedi bod yn brysur yn gneud pethau eraill."

"Gneud be?" mynnodd Siwan. "Dach chi byth yn gneud gwaith modelu yn ystod y tymor."

"Nac ydan … wel … fel hyn mae hi …" meddai Fflur yn dila.

Rywsut, nid dyma'r amser i sôn wrth Siwan am ei chynlluniau i gyflwyno'r cyngerdd. Sylweddolai mai unig ddiddordeb eu hasiant ar y funud oedd y gwaith oedd mewn llaw, nid rhyw syniadau ar gyfer y dyfodol.

"Gwranda, Fflur," meddai Siwan yn ddifrifol. "Dwi

wedi gweithio'n galed i gael y cytundeb recordio yma i chi. Oherwydd eich llwyddiant fel modelau a'ch agwedd broffesiynol y cawsoch chi o. Dwi wedi sicrhau'r cwmni y gellir dibynnu arnoch chi gant y cant, a'ch bod bob amser yn paratoi'n drwyadl. Dach chi'n ifanc iawn ac mae gynnoch chi andros o waith i brofi i bawb eich bod o ddifri."

"Wn i hynny," meddai Fflur, ond doedd Siwan ddim yn gwrando.

"Os medrwch chi ddangos eich bod chi'n ddigon aeddfed i lenwi bylchau pan fydd angen, mae'n debygol y cewch chi ragor o waith," aeth Siwan yn ei blaen. "Mae amser stiwdio'n ddrud iawn a dydi cwmnïau recordio ddim eisiau'i wastraffu. Os dach chi wir ddim yn barod, mae'n rhaid ichi ddweud hynny. Ond os na fedrwch chi ganu fory, does wybod beth fydd yn digwydd." Swniai Siwan yn wirioneddol bryderus. "Allen nhw roi'r diwrnod a bennwyd ar eich cyfer chi i'r artist sy'n methu bod yna fory," meddai wrth Fflur. "Mae o'n ennill llawer iawn o arian i'r cwmni. Mae ganddo gytundeb i orffen albwm mewn pryd, ac ar y funud dydach chi'n neb."

Cydiodd Fflur yn dynnach yn ei ffôn a throi draw rhag i Llywela ac Erin weld ei bod wedi dychryn.

"Dwi ddim yn meddwl dy fod ti wir yn deall arwyddocâd hyn i gyd. Gallai popeth fod yn iawn ond, ar y llaw arall, gallai eich recordiad chi gael ei ohirio am *fisoedd*. Maen nhw'n meddwl mai dyma'r amser iawn ar y funud i ryddhau cân fel eich un chi, ond pwy ŵyr beth fydd yr hinsawdd yn nes ymlaen yn y flwyddyn? Wyt ti'n barod i golli'r cyfle yma? A phaid ag anghofio eich bod chi dan gytundeb i'r cwmni. Os ydyn nhw'n dewis eich anwybyddu chi am dipyn, fedrwch chi ddim arwyddo gyda rhywun arall yn y cyfamser."

"O," meddai Fflur, a'i chalon yn suddo'n is fyth. "Doeddwn i ddim yn sylweddoli mai fel'na mae pethau."

"Mae'n anffodus," cytunodd Siwan. "Ond busnes ydi busnes ac mae'r cwmnïau recordiau'n gorfod gneud penderfyniadau anodd. Dim ond ffordd o gynhyrchu elw i'r cwmni fyddai i chi gyrraedd y brig."

"Wela i," meddai Fflur yn ddigalon.

Roedd yn amhosib iddi dynnu'n ôl. Petai hi'n

gwneud, gallai ddifetha eu gyrfaoedd am byth. Ac efallai na fyddai pethau ddim mor ddrwg wedi'r cwbl. Roedd hi'n iawn efo'r rhan fwyaf o'r caneuon. Dim ond yr unawd yn 'Hwiangerdd y Blodau Bychain' oedd yn broblem iddi. Er hynny, rhoddodd ei ffôn yn ôl yn ei phoced gan deimlo'n reit sâl. Tynnodd anadl ddofn a gwenu'n gam ar Ffion. "Wel," meddai, "mae'n edrych yn debyg y byddwn ni yn y stiwdio recordio fory. Well inni fynd i ymarfer?"

Bu Fflur yn ymarfer bob munud sbâr drwy'r dydd, ac roedd hynny'n anodd. Roedd yn rhaid mynd i bob gwers drwy'r pnawn, a doedd yr efeilliaid ddim i fod i gael gwers ganu arall efo Mr Parri y diwrnod hwnnw.

"Ty'd i weld Mr Parri," meddai Ffion yn ystod egwyl y pnawn. "Dwi'n siŵr y bydd o'n trefnu inni golli'r gwersi Cymraeg a daearyddiaeth er mwyn inni gael ymarfer pan glywith o ein bod ni'n mynd i recordio fory."

Roedd hynny'n berffaith wir, ond gwyddai Fflur y byddai hefyd o'i go'n las efo hi am beidio â gweithio ar y gân pan gafodd hi gyfle. Byddai'r athrawon eraill yn flin hefyd ac roedd peryg mawr y bydden nhw'n cwyno eto wrth Mrs Powell. Gwyddai Fflur y *dylai* hi ofyn am help ei hathro llais, ond roedd arni ofn mentro cael pryd arall o dafod ganddo ef a'r Pennaeth.

Llwyddodd y genethod i ymarfer am ychydig bach ar ôl te, ac ar ôl amser gwaith cartref awgrymodd Fflur eu bod yn gwneud un ymdrech olaf cyn mynd i'r gwely.

"Fedra i ddim," meddai Ffion. "Mae'n rhaid imi orffwyso fy llais, Fflur, neu fydda i'n dda i ddim yn y bore. Dwi'n amau mod i'n hel annwyd."

"Gwych!" meddai Fflur yn ddigalon. "Dyna'r cyfan dan ni ei angen! Wel, a' i drwy'r caneuon unwaith eto ar fy mhen fy hun. Wnaiff hynny'r tro, debyg."

Ond roedd Fflur yn cael anhawster mawr efo'i hunawd yn 'Hwiangerdd y Blodau Bychain'. Methai'n lân â'i chanu'n iawn. Oherwydd fod ei brawddegu'n anghywir, ni fedrai reoli ei hanadlu fel y dylai ac roedd arni wir angen hyfforddiant Mr Parri i oresgyn y broblem. Wel, roedd yn rhy hwyr bellach. Byddai'n rhaid iddi wneud y gorau allai hi a gobeithio i'r drefn y byddai ei gorau'n ddigon da.

8. Sôn am Hunllef

Ar ôl brecwast cynnar, teithiodd Fflur a Ffion i Gaerdydd mewn car a anfonwyd i'w nôl. Petai Fflur yn teimlo'n fwy hyderus, byddai wedi mwynhau'r daith, ond poenai'n ofnadwy am yr hyn oedd o'u blaenau. Gwyddai Ffion a hithau'n iawn nad oedd gobeithio am y gorau'n ffordd dda iawn o wynebu gwaith proffesiynol.

Oherwydd fod y sesiwn wedi'i drefnu ar fyr rybudd, doedd mam yr efeilliaid ddim yn gallu mynd efo nhw. Byddai Fflur wedi rhoi'r byd yn grwn am gael ei mam yno i'w chefnogi. Roedd yr ysgol wedi anfon aelod o staff y swyddfa i'w hebrwng, ond doedd hynny ddim 'run fath. Doedd gan Ffion ddim byd i boeni yn ei gylch. Roedd hi wedi ymddwyn yn gall a byddai'n iawn, ond crynai Fflur yn ei sodlau, yn teimlo'n fwy ofnus ac unig nag a wnaeth erioed yn ei bywyd o'r blaen.

Unwaith y cyrhaeddon nhw'r stiwdio recordio, roedd yr awyrgylch yn eu taro nhw. Roedd yn stiwdio enwog iawn – un o'r enwocaf yng Nghaerdydd – a doedd dim llawer o bobl yn cael cyfle i'w gweld hi o'r tu mewn. Roedd yn ddistaw iawn yno, heb eco o gwbl yn y dderbynfa gan fod carped trwchus ar y llawr. Bron nad oedd yn gwneud iddyn nhw fod eisiau sibrwd.

Ffoniodd y ferch yn y dderbynfa am rywun i ddod i'w cyfarfod. Tra oedd eu hebryngwraig yn eistedd ac yn darllen cylchgrawn cerdd i aros, crwydrodd Fflur a Ffion i fyny ac i lawr coridor hir lle roedd llawer o luniau yn sglein i gyd ar y waliau. Syllodd yr efeilliaid ar y cyfan. Roedd rhai o'r enwau a'r wynebau'n gyfarwydd iawn iddyn nhw.

"'Sgwn i fydd ein lluniau ni i fyny'n fan'na ryw ddiwrnod?" meddai Ffion yn dawel. "Mae'n anodd credu ein bod ni yma, yn tydi? Mae'n wahanol iawn i'r stiwdio yn yr ysgol!" Rhoddodd ei braich drwy fraich ei chwaer a'i gwasgu'n gefnogol. Roedd Ffion yn malio ynghylch sut roedd ei chwaer yn teimlo, ac yn gwneud ei gorau glas i godi'i chalon, ond doedd dim y gallai ei ddweud i wneud i Fflur deimlo fymryn yn well.

Yn fuan iawn cyrhaeddodd Seimon, y peiriannydd cynorthwyol, i fynd â nhw i'r stiwdio lle bydden nhw'n gweithio. "Mae tair stiwdio yn yr adeilad," eglurodd. "Rydan ni'n gallu recordio cerddorfa lawn i mewn yma," meddai'n falch, wrth fynd â nhw o gwmpas yr adeilad yn gyflym i roi cyfle iddyn nhw weld popeth. "Anaml y cewch chi stiwdio recordio ddigon mawr i hynny! Dan ni wrthi'n gosod y cadeiriau, y standiau cerddoriaeth a'r meicroffonau yn eu llefydd heddiw, yn barod ar gyfer recordiad sy'n digwydd fory."

Edrychodd Fflur a Ffion i mewn i'r ystafell. Roedd yn lle anferthol gyda gorchudd arbennig dros y waliau i amsugno gymaint o sŵn â phosib. "Sain yr offerynnau'n unig dan ni eisio'i recordio," eglurodd pan welodd eu diddordeb, "nid eco oddi ar y waliau."

Gwyliodd y ddwy beth oedd yn digwydd am ychydig funudau. Gosodai amryw o bobl resi o gadeiriau yn eu lle, tra oedd rhywun arall yn gosod meicroffonau ar y standiau. Roedd yna filltiroedd o gêblau du, tenau yn nadreddu dan draed ym mhobman.

“Pam mae’r person yna’n marcio cadair efo sialc?” gofynnodd Fflur, yn meddwl tybed a oedd hi ar gyfer aelod arbennig o’r gerddorfa.

Chwarddodd Seimon. “Fiw inni gael cadair sy’n gwichian yn ystod recordiad pan fydd aelodau’r gerddorfa’n eistedd arnyn nhw,” atebodd. “Mae Mathew newydd ddod o hyd i gadair swnllyd, ac yn rhoi marc arni i ddangos fod yn rhaid cael gwared â hi. Dan ni’n gorfod prynu cadeiriau newydd yn aml!”

Aeth â nhw i stiwdio oedd yn llai o lawer na’r gyntaf. Er mai hon oedd y leiaf o’r tair, roedd yn fwy o lawer na stiwdio recordio Owain Tudur yn yr ysgol, a’r ddesg gymysgu’n anferthol!

Yn yr ystafell reoli, cyflwynodd Seimon nhw i’r peiriannydd sain ac yna i’r cynhyrchydd, John Alwyn. Edrychodd Fflur a Ffion ar ei gilydd yn siomedig. Roedd Mr Parri wedi dweud wrthyn nhw mai Guto Rhydderch fyddai eu cynhyrchydd, ond person gwahanol oedd hwn!

“Ro’n i’n meddwl mai Guto Rhydderch oedd yn

mynd i gynhyrchu'n caneuon ni," meddai Fflur yn nerfus.

"Fo sy'n gofalu am y cyfanwaith," eglurodd John Alwyn. "Ond dydi o ddim ar gael heddiw, felly fi fydd yn gosod y traciau i lawr ac wedyn bydd yntau'n eu cymysgu'r wythnos nesaf. Dwi'n gweld bod eich cwmni recordiau wedi nodi 'Hwiangerdd y Blodau Bychain' fel y ffefryn ar gyfer y sengl gyntaf, felly dowch inni weld a fedrwn ni gael recordiad gwerth chweil i Guto weithio arno."

Suddodd calon Fflur. Yn amlwg, roedd John Alwyn yn berson â'i draed ar y ddaear go iawn. Ni fyddai'n dioddef unrhyw lol, a go brin y byddai'n cydymdeimlo gyda'i phroblemau. Roedd hi wedi gobeithio y byddai ffrind Mr Parri wedi clywed am ei hanawsterau ac wedi medru bod o help iddi. Ond wyddai'r dyn yma ddim byd am Fflur a Ffion. Roedd ganddi hen deimlad annifyr na fyddai ei gorau hi'n ddigon da iddo. Ac yn waeth fyth, roedd y cwmni recordiau'n awyddus i ryddhau cân na fedrai hi ei chanu. Roedd heddiw'n ddiwrnod trychinebus yn barod.

"Os ewch chi draw i'r bwth recordio, awn ni drwyddi i osod rhai o'r lefelau," meddai'r cynhyrchydd wrthyn nhw. "Mae'n bryd cychwyn arni."

Yn amlwg roedd y cynhyrchydd yn gwbl broffesiynol ac yn awyddus i fynd ymlaen â'i waith. Doedd o ddim yn mynd i wastraffu amser yn dandwn artistiaid oedd heb baratoi'n ddigon trylwyr.

Aeth Fflur a Ffion i'r bwth recordio a gwisgo'r clustffonau am eu pennau. Yn sydyn, roedd llais Seimon i'w glywed yn eu clustiau. Siaradai i mewn i feicroffon bychan yn yr ystafell reoli, oedd yn bwydo'r clustffonau. "Dwi am chwarae pob alaw yn ei thro, er mwyn i chi gael rhedeg drwyddyn nhw," meddai. "Wedi imi osod y lefelau, pan fyddwch chi'n barod, rhowch arwydd imi ac mi rown ni gynnig ar recordio. Ymlaciwch a mwynhau eich hunain."

Ar y cychwyn, roedd popeth yn iawn. Doedd dim problem o gwbl efo'r tair cân gyntaf. Doedd Fflur ddim yn disgleirio nac ar ei gorau, ond roedd hi'n gwybod y geiriau ac roedd ei brawddegu'n ddigon celfydd. Gofynnodd y cynhyrchydd iddyn nhw ganu rhan o gân amryw o weithiau ac awgrymodd rhyw newid bach yma ac acw ond, ar y cyfan, edrychai'n ddigon bodlon gyda'u hymdrechion. Yna cafwyd toriad a diod sydyn ac roedd hi bellach yn amser canu 'Hwiangerdd y Blodau Bychain'. Pan roddodd Fflur ei chwpan ar y bwrdd, sylwodd fod ei llaw yn crynu.

I ddechrau, roedd yn rhaid i Ffion fynd i'r bwth recordio i ganu ei rhan hi o'r gân. Ar ôl rhyw dro neu ddau, roedd John Alwyn yn fodlon. Gwrandawodd Fflur arni'n edmygus o'r ystafell reoli. Canai Ffion yn wirioneddol dda. Byddai hi'n fodlon iawn petai'n medru perfformio hanner cystal â'i chwaer.

Pan ddaeth tro Fflur, aeth i mewn â'i chalon yn drom. Teimlai ym mêr ei hesgyrn y byddai hi'n drychinebus, ac roedd hi yn llygad ei lle.

Dro ar ôl tro, ataliodd y cynhyrchydd y recordiad er mwyn i Fflur ailadrodd ychydig o nodau, ond doedd dim gobaith. Wrth iddi fynd dros ei rhan, roedd ei pherfformiad yn gwaethygu. Erbyn y diwedd roedd hi wedi ffwndro'n lân a hyd yn oed yn anghofio rhai o'r geiriau.

"Dyma dy orau di?" gofynnodd John Alwyn ar ôl i Fflur fethu canu gystal ag y dylai hi unwaith yn rhagor.

"Mae'n ddrwg gen i," ymddiheurodd i mewn i'r meicroffon. Drwy'r gwydr oedd yn gwahanu'r bwth recordio a'r ystafell reoli, gwelai'r cynhyrchydd yn brygowthan dan ei anadl wrth y peiriannydd gan dybio ei fod yn ei rhegi hi i'r cymylau.

Ar ôl un cynnig trychinebus arall, amneidiodd John Alwyn ar Fflur i ddod i'r ystafell reoli. "Iawn," meddai wrthi. "Gei di eistedd yn fan'na." Cyfeiriodd at gadair gyfagos ac eisteddodd Fflur, yn crynu yn ei sodlau ac yn barod am bryd o dafod go iawn. Ond ni ddywedodd y cynhyrchydd yr un gair o'i ben. Mewn gwirionedd, anwybyddodd hi'n gyfan gwbl.

"Reit," meddai wrth Ffion. "Fedri di ganu rhan dy chwaer? Y llinell yna o'r unawd ydan ni wir ei hangen."

"Ym ... gallaf, dwi'n meddwl," meddai Ffion.

"Wnei di roi cynnig arni?" gofynnodd.

"Iawn," cytunodd Ffion, gan edrych ar Fflur. Cododd Fflur ei dau fawd arni. Mae'n rhaid fod y cynhyrchydd wedi penderfynu cael Ffion i ddangos iddi sut i ganu. Doedd o ddim i wybod eu bod wedi ymarfer gyda'i gilydd ddoe heb lwyddiant o gwbl. Ond roedd Fflur yn benderfynol o wrando'n astud iawn er mwyn ei gael yn iawn y tro nesaf.

"Pan fyddi di'n barod," meddai'r cynhyrchydd wrth Ffion.

Cyn gynted ag y nodiodd hi, chwaraeodd y peiriannydd y tâp o'r trac cefndir i glustffonau Ffion. Gwelai Fflur hi'n cyfri ei hun i mewn. Nodiodd y cynhyrchydd ar y peiriannydd wrth i Ffion ddechrau canu.

"Gest ti hwnna?" gofynnodd y peiriannydd wedi i Ffion orffen.

"Do," meddai'r peiriannydd. "Wyt ti eisio i mi ei chwarae'n ôl?"

"Diolch."

Gwrandawodd Fflur wedyn wrth i'r tâp o ddehongliad Ffion gael ei chwarae'n ôl.

"Dwi'n meddwl mod i'n gweld rŵan ..." cychwynnodd Fflur, ond anwybyddodd y cynhyrchydd hi.

"Fedri di ei ganu eto ... o'r ail gytgan?" gofynnodd i Ffion.

"Iawn," cytunodd Ffion.

Roedd Fflur yn dechrau colli amynedd. "Dwi'n meddwl y medra i ei 'neud o rŵan," meddai wrth y cynhyrchydd.

Edrychodd John Alwyn arni'n gyflym. "Dwyt ti ddim–" cychwynnodd. "Aros ... ie. Cana o'r fan yna i'r diwedd," meddai wrth Ffion fel roedd y tâp yn rhedeg. Chwaraewyd y tâp o'r cefndir wedyn ac ufuddhaodd Ffion.

Cododd Fflur ar ei thraed a mynd at y ddesg gymysgu. "Hoffwn i roi cynnig arall arni," meddai.

Ond ysgydwodd y cynhyrchydd ei ben. "Gadewch inni glywed y bariau olaf yn unig," meddai. Chwaraeodd y peiriannydd lais Ffion yn canu'r rhan olaf – rhan Fflur, yn cynnwys yr unawd – a gwrandawodd pawb. "Diolch, Ffion. Gei di ddod allan rŵan," meddai. Daeth Ffion i mewn i'r ystafell reoli ac edrychodd John Alwyn ar ei oriawr. "Diolch, genod," meddai wrth y ddwy. "Dwi'n meddwl ein bod ni wedi cael popeth dan ni ei angen rŵan.

Gofynnwch yn y dderbynfa am eich car ac mi ddôn nhw â fo i'ch casglu chi."

"Ond dwi angen recordio fy unawd!" protestiodd Fflur. "Dydw i ddim wedi recordio fy rhan i i gyd eto! Mae'n rhaid eich bod chi wedi anghofio."

"Dwi ddim wedi anghofio," meddai John Alwyn yn oeraidd wrth Fflur. "Mae dy chwaer wedi gneud yn dy le di. Sgynnon ni yma ddim amser i'w wastraffu ar blant sy ddim yn trafferthu i ddysgu'u gwaith yn iawn!"

9. Gofid Mawr

Prin y siaradodd Fflur â Ffion ar y daith yn ôl i'r ysgol. Un munud teimlai'n gandryll ynghylch y ffordd roedd hi wedi cael ei thrin, a'r eiliad nesaf roedd ganddi gywilydd mawr o'r ffordd roedd hi wedi'i siomi'i hun a phawb arall.

"Bydd popeth yn iawn," meddai Ffion, gan geisio'i chysuro'n ddistaw rhag i'r hebryngwraig glywed. "Fydd neb ddim callach. Mae'n debyg na fydd neb yn gwybod y gwahaniaeth unwaith y bydd y sengl wedi'i chymysgu beth bynnag."

"Ond mi fydda *i'n* gwybod," protestiodd Fflur yn ddig. Teimlai'n waeth o filltir i filltir. Sut gallai hi fod wedi bod mor hurt? Roedd hi wedi gwastraffu amser efo pethau eraill yn lle canolbwyntio ar ganu. Gallai gwaith teledu fod yn rhan o'i dyfodol, ond roedd y sengl ar waith *rŵan*!

Penderfynodd Fflur mai'r peth cyntaf y dylai ei wneud ar ôl cyrraedd yr ysgol oedd cadw'i chamera o'r golwg. Doedd wiw iddi wastraffu rhagor o amser efo fo. Byddai'n dweud wrth Mrs Powell na fedrai gyflwyno'r cyngerdd, hyd yn oed petai ei graddau'n gwella. Roedd yn gas ganddi feddwl am beidio gwneud, ond gwyddai iddi ymddwyn yn wirion wrth hyd yn oed feddwl am gyflwyno pan ddylai wedi bod yn ymarfer ei chaneuon.

Ciledrychodd ar Ffion, oedd yn syllu allan drwy ffenest y car. Gwyddai Fflur na allai feio neb ond hi'i hun am yr hyn oedd wedi digwydd, ond yn amlwg teimlai Ffion druan yn ddiflas hefyd. Bai Fflur oedd hynny. Tynnodd anadl ddofn. Doedd ond un peth y gallai hi ei wneud i wella'r hen ddiwrnod ofnadwy yma. Rhoddodd ei llaw ar fraich ei chwaer a'i gwasgu.

"Paid ti â phoeni, Ffi," meddai, gan geisio swnio fel petai hi ddim yn malio gymaint. "Nid dy fai di ydi hyn. Wnest ti'n ardderchog heddiw."

"Diolch," meddai Ffion. "Mae o drosodd beth bynnag."

Ond doedd o ddim drosodd i Fflur. Pan gyrhaeddon nhw'n ôl i'r ysgol, cael a chael oedd hi iddyn nhw gael te hwyr, ac wrth gwrs roedd *pawb* eisiau gwybod sut ddiwrnod gawson nhw.

"Sut aeth pethau?" holodd Erin gynted ag y gwelodd hi nhw. "Oedd o'n gyffrous?"

"Oedd, am wn i," atebodd Fflur.

"Blinedig," ychwanegodd Ffion. "Dwi am fynd yn ôl i'n hystafell ni, Fflur. Mae gen i dipyn o gur yn fy mhen."

Ni allai Fflur ddioddef bod ynghanol y sgwrsio. A byddai'n waeth o lawer pan fyddai'r sengl yn cael ei rhyddhau heb ei llais hi arni – pawb yn eu llongyfarch a hithau'n gwybod yn iawn nad oedd hi'n haeddu'r clod. Sleifiodd o'r ystafell fwyta a mynd ar ei phen i'r un person nad oedd hi'n awyddus o gwbl i'w gweld.

"A! Fflur! Dyna ti," meddai Mrs Powell. "Dwi'n meddwl y byddai'n well iti ddod i fyny i'm stafell i."

Dilynodd Fflur Mrs Powell yn ddigalon i fyny'r grisiau.

"Mi ffoniais y stiwdio recordio'r pnawn 'ma i gael

gwybod sut hwyl gawsoch chi," meddai hi wrth Fflur. "Dydi pethau ddim yn dda, nac ydyn?"

"Nac ydyn, mae'n ddrwg gen i," cytunodd Fflur. "Ond dwi wedi gneud penderfyniad."

"Ydi o'n benderfyniad fydd yn ddigon i'm rhwystro i rhag sgwennu llythyr at dy rieni?" gofynnodd Mrs Powell yn oeraidd.

Llyncodd Fflur ei phoer. Llythyr at ei rhieni oedd y peth olaf un roedd arni hi eisiau. Teimlai'r dagrau poethion yn cronni ac yn llosgi tu cefn i'w llygaid, a gwnaeth ei gorau glas i'w rhwystro rhag llifo. "Wn i mor hurt dwi wedi bod yn peidio paratoi'n ddigon da ar gyfer y recordiad," cyfaddefodd. "Do'n i ddim yn sylweddoli y bydden nhw'n galw amdanon ni mor fuan. Ro'n i'n meddwl y byddai'n syniad da cael gyrfa ar y teledu yn y dyfodol. Wastraffais i amser yn meddwl am hynny yn lle gweithio ar y caneuon. Wna i ddim cyflwyno'r cyngerdd rŵan. Na wna siŵr iawn," addawodd, gan edrych yn gyflym ar Mrs Powell. "Dwi am gladdu'r camera yng ngwaelod fy nghês a fydda i *byth* yn gafael ynddo fo eto."

"Wel, dwi'n falch dy fod ti'n fodlon cyfaddef iti

'neud camgymeriadau," meddai Mrs Powell yn sychlyd. "Ond byddai'n well gen i petait ti'n rhoi'r camera i mi ei gadw'n ddiogel tan ddiwedd y tymor."

"Iawn," cytunodd Fflur yn drist.

"Mae'n rhaid imi ddweud nad oes gen i fawr o feddwl o'ch asiant chi, chwaith," ychwanegodd Mrs Powell. "Roedd tipyn o ddiffyg cyfathrebu rhyngddi hi a'r ysgol. Ni sy'n gweithredu ar ran y mwyafrif o'n myfyrwyr, ac mae hynny'n golygu ein bod yn gwybod be sy'n digwydd, ond gan fod gynnoch chi asiant cyn i chi ddod i'r ysgol yma, roedd pethau ychydig yn wahanol yn eich achos chi. Wir, dylai hi fod wedi ymgynghori efo Mr Parri cyn cytuno i newid y dyddiad. Bydd raid imi ysgrifennu ati ynghylch hynny."

"Does dim bai o gwbl ar Siwan Mererid," meddai Fflur yn gyflym. "Ddwedodd hi y dylen ni wrthod petawn i ddim yn barod, ond ro'n i'n meddwl y byddwn i'n iawn ac ro'n i ofn iddyn nhw wrthod ein recordio ni."

"Hmm," meddai'r Pennaeth. "Does dim rhaid iti gymryd y bai i *gyd*, Fflur. Arnat ti roedd y bai am ymddwyn yn amhroffesiynol, ond mae Siwan Mererid i fod i warchod eich buddiannau chi, ac rydyn ninnau i fod i'ch amddiffyn chi rhag profiadau annymunol cyn belled ag y bo modd. Mae'n ddrwg gen i. Mae'n *rhaid* i bawb ddysgu o'u camgymeriadau." Oedodd. "Mi fyddaf yn gosod canllawiau newydd i ofalu na fydd dim byd fel hyn yn digwydd eto. Mae'n rhaid i Siwan Mererid a'i thebyg ymgynghori â'r ysgol cyn cytuno i ddim byd ar ran y myfyrwyr. Petai hi ond wedi fy ffonio i neu Mr Parri, byddai wedi bod yn amlwg fod gneud y recordiad yn gynt yn annoeth iawn, ond y tro cyntaf imi glywed amdano oedd pan oedd fy ysgrifenyddes yn trefnu rhywun i'ch hebrwng. Dydi hynny ddim yn ddigon da."

Dechreuodd Fflur deimlo ychydig bach yn well, ond doedd Mrs Powell ddim wedi gorffen. Hoeliodd ei llygaid llwyd, treiddgar ar Fflur a gwyddai Fflur fod rhagor i ddod, yn anffodus.

"Beth bynnag, dydi hyn ddim yn newid y ffaith dy fod ti bellach yn ddigon hen i wybod mor bwysig ydi paratoi'n ddigon buan o flaen llaw ar gyfer unrhyw ddigwyddiad," aeth yn ei blaen yn ddig. "Mae'n un o'r pethau cyntaf dan ni'n ei ddysgu i chi yma. Does dim esgus dros dy ymddygiad amhroffesiynol. Dyma dy gyfle olaf di, Fflur. Mae dy ddiffyg paratoi affwysol di wedi dwyn anfri mawr arnon ni yma, ac ar Mr Parri'n arbennig. Byddaf am glywed dy fod wedi ymddiheuro'n ddiffuant iddo, a dwi eisio'r camera 'na sy gen ti ar fy nesg erbyn yr amser yma fory. Cofia: dwi ddim am glywed rhagor o gwyno ynghylch dy waith ysgol."

"Iawn," meddai Fflur. "Ac mae'n wirioneddol ddrwg gen i."

Cerddodd Fflur draw i dŷ'r genethod gan deimlo'n sigledig iawn. Doedd hi erioed o'r blaen wedi malio fawr ynghylch unrhyw achos disgyblu, ond roedd geiriau Mrs Powell wedi gwneud iddi feddwl o ddifri am y tro cyntaf ers hydoedd. Y ffaith fod Mrs Powell wedi dweud ei bod hi, Fflur, wedi ymddwyn mewn modd amhroffesiynol oedd wedi brifo fwyaf, ond serch hynny gwyddai ei bod yn llygad ei lle. I ddechrau, dylai hi fod yn barod pan ddaeth yr alwad o'r stiwdio, ac yn ail, gan wybod mor wael roedd hi wedi paratoi, dylai fod wedi syrthio ar ei bai a bod yn ddigon dewr i gyfaddef hynny i Siwan.

Er mawr ryddhad iddi, roedd y tŷ yn dawel. Gwnaeth Fflur baned o siocled poeth iddi'i hun, yna aeth i'w hystafell ac eistedd ar ei gwely. Sylweddolodd fod rhyw angel wedi bod yn ei gwarchod ers hydoedd. Byddai genethod eraill wedi bod wrth eu bodd yn cael y math o fywyd oedd ganddi hi a Ffion. Ond tra oedd Ffion yn wylaidd ac yn ostyngedig iawn, roedd Fflur wedi mynd i feddwl y medrai hi lwyddo mewn unrhyw faes oedd yn digwydd mynd â'i ffansi.

Wnaeth Mr Parri ei orau glas i 'nghael i i weithio ar y gân, ond wnes i ddim gwrando arno. A rŵan bydd f'enw ar sengl a finna ddim yn ei haeddu, meddai wrthi'i hun. *Ella y medrwn ni smalio wrth y lleill, ond mi fydda i'n gwybod drwy'r adeg mai Ffion, nid fi, fydd yn gyfrifol am unrhyw lwyddiant ddaw i* 'Hwiangerdd y Blodau Bychain'.

Teimlai Fflur yn fwy digalon fyth. Sylweddolodd na fedrai hi byth gael noson o gwsg oni bai ei bod hi'n gwneud rhyw ymdrech i wella pethau. Gadawodd ei diod a throi'n ôl i lawr y grisiau i fynd allan. Petai'n llwyddo i ddal Mr Parri cyn iddo fynd adref, gallai ymddiheuro iddo. Byddai hynny'n gychwyn, o leiaf.

Roedd yn mynd yn hwyr ac roedd peryg y byddai'r athro wedi mynd cyn iddi hi gyrraedd ei ystafell, felly anelodd am faes parcio'r staff. Rhoddodd ochenaid o ryddhad pan welodd ei gar. Roedd o'n dal yn yr ysgol, felly. Cyn gyflymed ag y gallai, rhedodd i'r prif adeilad lle roedd ystafell Mr Parri. Fel roedd hi'n troi'r gornel aeth ar ei phen iddo a tharo ffeil o'i ddwylo.

"Fflur!"

"Mae'n ddrwg gen i! Mae'n ddrwg gen i!" Penliniodd i'w helpu i godi'r papurau. "Ro'n i eisio'ch gweld chi," eglurodd wrth i'r ddau godi ar eu traed. "Er mwyn ymddiheuro."

Chwarddodd Mr Parri. Doedd o ddim yn ymddangos yn ddig iawn efo hi. "Ffordd ryfedd iawn o fynd o'i chwmpas hi!" meddai. "Pam roeddet ti eisio ymddiheuro? Dwi'n credu mod i'n gwybod, ond mae'n well iti ddweud popeth wrtha i. Ond gwranda, dwi'n hwyr yn barod," aeth yn ei flaen. "Gawn ni siarad tra dwi'n cerdded at y car?"

Eglurodd Fflur beth oedd wedi digwydd a nodiodd Mr Parri. "Hmm. Wel, diolch iti am yr ymddiheuriad, Fflur. Roeddet ti'n glên iawn yn dod i 'ngweld i mor sydyn."

Gwridodd Fflur. Bron na fyddai'n well ganddi petai'n flin efo hi. Teimlai'n waeth ac yntau mor ffeind.

"Gwranda, dan ni'n dau'n gwybod dy fod ti wedi ymddwyn yn annoeth," meddai, a nodiodd Fflur yn ddifrifol. "Ond dwi'n meddwl dy fod ti wedi dysgu gwers bwysig iawn – wyt ti'n cytuno?"

"Ydw," meddai Fflur ar ei hunion.

"Wel, mae hynny'n beth da. Does dim byd yn wastraff os bydd rhywun yn dysgu gwers. A beth bynnag, gallai pethau fod hyd yn oed yn waeth. Allen nhw fod wedi penderfynu peidio gneud y sengl yna o gwbl. Hen dro os mai'r gân 'Hwiangerdd y Blodau Bychain' fydd yn cael ei defnyddio, ond synnwn i ddim mai dyna wnân nhw. Cân arbennig ar eich cyfer chi'ch dwy ydi hi, ac mae cwmnïau recordiau'n gallu bod yn benderfynol o gael eu ffordd eu hunain. Mae'n debyg mai penderfyniad y bobl marchnata oedd o. Beth bynnag, efo dipyn bach o lwc, diolch i dy chwaer, fydd neb ddim callach be ddigwyddodd."

"Roedd hi'n ardderchog," meddai Fflur mewn llais bach.

"Oedd," meddai Mr Parri, "mi roedd hi. Hi achubodd y sefyllfa. A phaid â meddwl nad ydw i ddim yn sylweddoli pa mor anodd fydd hi i ti os bydd yn rhaid iti feimio i'w dehongliad hi o 'Hwiangerdd y Blodau Bychain'. Bydd hynny'n siŵr o frifo tipyn."

"Bydd," cytunodd Fflur yn brudd. Byddai'n brofiad *ofnadwy*, ond byddai'n rhaid iddi fyw efo hynny.

Cyrhaeddodd y ddau at y car a rhoddodd Mr Parri ei bapurau i Fflur tra oedd yn agor drws y gyrrwr. Arhosodd iddo fynd i mewn cyn eu hestyn iddo. Rhoddodd yntau'r papurau ar y sedd wrth ei ochr ac oedi efo'i law ar ddolen y drws.

"Rown ni gynnig arall ar 'Hwiangerdd y Blodau Bychain' yn ein gwers fory," meddai wrthi. "Wn i ei bod yn rhy hwyr ar gyfer y recordiad, ond os bydd hi'n cael ei rhyddhau fel sengl, bydd raid iti 'neud cyfiawnder â hi rhag ofn y bydd rhaid iti ei chanu'n fyw, yn bydd?"

"Bydd," cytunodd hithau. Ni fyddai'n fawr o hwyl mynd dros gân fyddai'n ei hatgoffa bob amser iddi fod mor hurt. Ond Mr Parri oedd yn iawn. Dylai ofalu y gallai ei pherfformio'n berffaith er ei bod yn rhy hwyr ar gyfer y sengl.

"A dim llaesu dwylo," rhybuddiodd hi. "Dim os wyt ti eisio i mi ddal ati i dy ddysgu di."

"Dim llaesu dwylo," cytunodd Fflur o waelod ei chalon. "A dwi'n ei feddwl o – go iawn!"

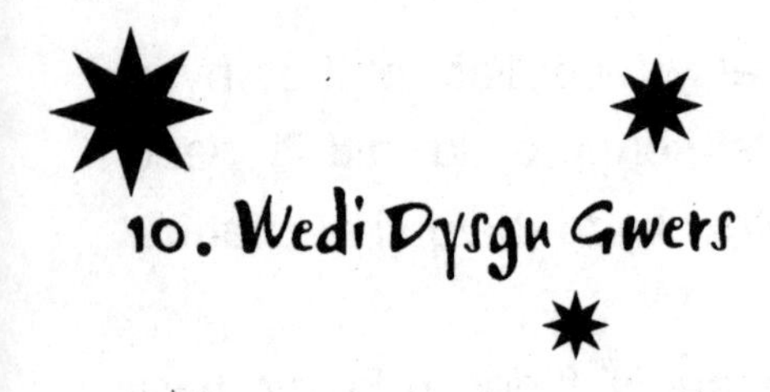

10. Wedi Dysgu Gwers

Cadwodd Fflur at ei gair. Roedd hi'n ddisgybl perffaith ym mhob dosbarth, hyd yn oed mathemateg a gwyddoniaeth – ei chas bynciau. Cafodd farciau gwell a dechreuodd yr athrawon wenu arni unwaith yn rhagor.

Gweithiodd yn galetach fyth yn ei gwersi canu. Gwnaeth ei gorau glas i anghofio'r trychineb ac i symud ymlaen. O'r diwedd llwyddodd i ganu'r unawd yn 'Hwiangerdd y Blodau Bychain' a chaboli ei rhan nes bod Ffion a hithau mewn cytgord perffaith. Anfonodd y cwmni recordiau ragor o ganeuon dros e-bost iddyn nhw a gweithiodd y ddwy'n galed iawn i'w dysgu. Er mawr ryddhad i Fflur, soniodd Siwan Mererid 'run gair am y sesiwn recordio trychinebus. Efallai, meddyliodd Fflur, ei bod wedi penderfynu bod rhywfaint o fai arni hithau hefyd. Beth bynnag, edrychai'n debygol na fyddai rhagor o sôn am y peth. Roedd trefniadau ar y gweill i ryddhau sengl yn fuan, er na wyddai'r efeilliaid eto pa gân fyddai'r dewis terfynol.

"Dan ni'n andros o lwcus," meddai Fflur wrth Erin un pnawn pan oedden nhw ar eu ffordd i wers canu grŵp.

"Mi faswn i wrth fy modd petawn i'n cael cymaint o lwc â chi," ochneidiodd Erin. "Faint o bobl sy'n cael cytundeb recordio a hwythau'n dal yn yr ysgol?"

"Paid â bod fel'na!" crefodd Fflur. "Bydd dy yrfa ganu di'n para'n hirach o lawer na f'un i. Mae Mel Williams, cynhyrchydd uchel iawn ei barch drwy'r byd, yn dangos diddordeb ynot ti. Pan fydd o'n dweud dy fod ti'n barod bydd pob cwmni recordiau'n baglu ar draws ei gilydd i dy arwyddo di!"

"Gobeithio wir," meddai Erin. "Ond mae'n anodd iawn aros." Cofleidiodd Fflur hi'n llawn cydymdeimlad fel roedden nhw'n cyrraedd ystafell Mr Parri.

Byddai Fflur bob amser yn mwynhau gwersi canu gyda'r dosbarth cyfan. Gallai ymlacio mwy gan nad oedd raid canolbwyntio mor galed ag yn y gwersi preifat gyda Ffion.

Heddiw cafodd y dosbarth hwyl ar ganu fersiwn o hen gân enwog. Gwenodd Fflur a Ffion ar ei gilydd wrth i'r dosbarth cyfan floeddio canu'r geiriau cyfarwydd. Edrychai hyd yn oed Dan fel petai'n mwynhau ei hun, er nad oedd ganddo fawr i'w ddweud wrth ganu fel arfer. Wedi iddyn nhw orffen, rhoddodd Mr Parri ryw CD yn y peiriant.

"Cyn diwedd y wers, ro'n i'n meddwl yr hoffech chi glywed hon," meddai.

Deffrodd Fflur drwyddi. Yn achlysurol, byddai Mr Parri yn chwarae rhywbeth er mwyn i'r dosbarth ei drafod, a gallai'r sgwrs fod yn ddigon bywiog gan fod gan bawb farn bendant – Fflur yn fwy na neb! Ond wrth i gerddoriaeth y bariau agoriadol chwyddo drwy'r ystafell, cuddiodd Fflur ei hwyneb â'i dwylo mewn arswyd. Eu recordiad hi a Ffion oedd o! Mae'n rhaid fod y stiwdio wedi anfon copi i'r ysgol.

Gwenai pawb gan bwnio'i gilydd wrth wrando ar y CD, ond byddai Fflur wedi hoffi petai'r llawr wedi agor a'i llyncu. Nid am fod y recordiad yn wael; i'r gwrthwyneb – fel fersiwn cyntaf roedd yn wirioneddol dda. Roedd Ffion wedi canu'r ddwy ran yn wych. Erbyn i'r cynhyrchydd greu'r fersiwn terfynol, byddai'n anhygoel. Ond dyna oedd y drwg. I bob golwg, byddai 'Hwiangerdd y Blodau Bychain' yn llwyddiant mawr heb i Fflur fod yn rhan ohoni. Yn sicr, byddai rhai o'r dosbarth yn sylwi bod llais Fflur ar goll. Er mai efeilliaid oedden nhw, roedd eu lleisiau'n bur wahanol. Beth yn y byd mawr fyddai hi'n ei ddweud pan ofynnai ei ffrindiau pam nad oedd ei llais hi i'w glywed?

Llosgai wyneb Fflur. Erbyn diwedd y gân, ni fedrai edrych ar neb – hyd yn oed ei chwaer. Roedd pawb yn hoffi'r gân, a'r dosbarth i gyd yn cymeradwyo gan wneud i Fflur deimlo'n waeth fyth.

"Nid dyma'r copi terfynol chwaith, nage, genod?" meddai Mr Parri. "Mae angen ailgymysgu'r gân."

"Oes," cytunodd Ffion.

"Dwi'n meddwl ei bod hi'n wych fel mae hi," meddai Erin yn frwdfrydig. "Mae gynnoch chi leisiau ardderchog. Be sy'n fy rhyfeddu i ydi eu bod nhw'n swnio mor debyg. Fel arfer, dwi'n gwybod yn iawn p'run ohonoch chi'ch dwy sy'n canu, ond nid ar y recordiad yma. Mae'n debyg eu bod nhw wedi gneud rhywbeth clyfar er mwyn i'ch lleisiau chi swnio'r un fath yn union. Efeilliaid 'run ffunud efo lleisiau 'run ffunud! Syniad da!"

Ceisiodd Fflur wenu ar Erin, ond teimlai fel petai'n ei thwyllo ac roedd hynny'n gwneud iddi deimlo'n ofnadwy.

"Felly be nesa?" gofynnodd Dan.

"Wel, glywson ni ddoe fod yn rhaid inni fynd yn ôl i'r stiwdio i 'neud ambell beth bach eto i'r recordiad," meddai Ffion wrtho. "Dan ni ddim eto wedi cyfarfod y cynhyrchydd sy wedi bod yn ei chymysgu hi. Maen nhw'n dweud ei fod o'n meddwl y byddai'n beth da inni fod yno pan fydd o wrthi. Mae hynny'n gynnig clên iawn. Dwi'n gwybod bod barn llawer o artistiaid yn cyfri wrth ddewis y darnau gorau o recordiad er mwyn creu'r sengl orau bosib, ond dim ond prentisiaid ydan ni."

"Ella mai dyna pam mae o eisio i chi fod yno," awgrymodd Erin. "Mae'n rhaid i bawb ddechrau yn rhywle!"

"Mae hynny'n wir," cytunodd Ffion. "Beth bynnag, dan ni'n mynd eto'r wythnos nesaf, ond dim ond am gyfnod byr."

"Wyddoch chi be ydi'r peth rhyfeddaf un ynghylch y recordiad yma?" meddai Llywela. "Mae o wedi rhoi cwlwm ar dafod Fflur!"

Chwarddodd pawb a chofleidiodd Ffion ei chwaer. "Dydi hi byth yn canmol ei hun," meddai, a chwarddodd pawb wedyn.

Roedd Fflur yn ysu am i'r wers orffen. Ar y diwedd, rhuthrodd allan efo Erin yn dynn ar ei sodlau.

"Mae Huwcyn yn fan'cw!" meddai Ffion, yn cael cip ar bennaeth yr Adran Roc. "Do'n i ddim yn sylweddoli ei fod o'n ôl yn yr ysgol. Ty'd i ddweud helô." Byddai'n braf cael sgwrs efo fo, ac ella y byddai'n gwneud i Erin roi'r gorau i sôn am y CD.

Roedd yr athro â'r gwallt cagla-rasta yn cerdded yn ofalus ar hyd y llwybr, efo help ffon.

"Sut ydach chi?" gofynnodd Fflur yn gwrtais. "Ydi'ch ffêr chi'n well?"

"Ddim yn ddrwg o gwbl," atebodd Huwcyn ap

Siôn Ifan. "Braidd yn wan o hyd ers imi ei thorri. Yn ôl pob golwg dwi'n mynd i fod angen y ffon yma am dipyn, yn anffodus."

"Ond dach chi'n ôl beth bynnag," meddai Erin.

"Ydw wir," atebodd gan wenu. "Dyma 'niwrnod cyntaf i ac mae'n deimlad braf iawn. Peidiwch â gadael imi eich dal yn ôl," ychwanegodd. "Mae'n rhaid imi gymryd pwyll y dyddiau yma."

"Popeth yn iawn," meddai Fflur yn llon. "Dydan ni ddim ar frys." Roedd yn well o lawer ganddi sgwrsio efo Huwcyn na meddwl am y sengl heb ei llais hi arni.

Yn ffodus, yn fuan iawn cafodd Fflur rywbeth arall i feddwl amdano. Roedd y cwmni recordiau wedi penderfynu y byddai'n syniad da i ffilmio'r efeilliaid yn y stiwdio recordio er mwyn gwneud DVD i bwrpas cyhoeddusrwydd, felly aeth ati ar unwaith i drafod dillad gyda'i chwaer a'r lleill.

"Pam maen nhw am ichi wisgo dillad hamdden?" holodd Erin, gan ddarllen drwy'r wybodaeth a anfonwyd at yr efeilliaid. "'Swn i wedi meddwl y bydden nhw'n awyddus i chi wisgo'n grand!"

"Mae ganddyn nhw bytiau ohonon ni'n modelu'n barod," eglurodd Fflur. "A does dim llawer o bobl yn gwisgo'n grand i recordio, nac oes?"

"Nac oes, debyg," cytunodd Erin.

"A beth bynnag, mi fydd ganddyn nhw berson yno i ofalu am ein dillad ni," eglurodd Ffion. "Mae'n rhaid i ddillad ffwrdd-â-hi, hyd yn oed, edrych yn dda."

Er gwaetha'r cyffro o gael ei ffilmio, doedd Fflur ddim wedi anghofio am y canu. Bu'n ymarfer yn galed iawn, ac roedd yr holl ganeuon mor berffaith ag y medren nhw fod. Ond er hynny, roedd hi ar bigau'r drain braidd pan gyrhaeddon nhw'r stiwdio am yr eildro.

"Gobeithio y bydd Guto Rhydderch yna'r tro yma," meddai hi wrth Ffion fel roedden nhw'n mynd allan o'r car. "Dwi ddim yn meddwl y medrwn i wynebu'r cynhyrchydd arall yna eto."

Doedd dim angen iddi boeni. Roedd Guto Rhydderch yno ac roedd o'n hynod o glên.

"Dwi isio newid ychydig bach ar drefniant y gân, os ca i," meddai wrthyn nhw. "Wn i'n iawn fod Jac Parri wedi gneud gwaith gwych, fel arfer. Dach chi'n ffodus iawn i'w gael o'n athro arnoch chi."

"O, ydan," cytunodd yr efeilliaid.

"Gyda llaw," aeth yn ei flaen. "Sut hwyl wyt ti'n gael ar ganu 'Hwiangerdd y Blodau Bychain' erbyn hyn, Fflur?"

Gwridodd Fflur. "Iawn," atebodd yn bendant. "Ro'n i'n meddwl y dylwn i fedru ei chanu'n iawn er bod y recordiad wedi'i 'neud, rhag ofn y bydd yn rhaid inni ei chanu o flaen cynulleidfa rywbryd. Mae'n ddrwg gen i mod i wedi gneud llanast ohoni y tro cyntaf."

"Paid â phoeni," meddai wrthi. "Nid ti ydi'r cyntaf i gyrraedd stiwdio heb baratoi'n iawn, ac o'r hyn mae Jac Parri'n ei ddweud, mae'n edrych yn debyg dy fod ti wedi'i meistroli hi erbyn hyn." Cydiodd mewn llythyr ac edrych arno am funud.

"Mae'r cwmni recordiau'n awyddus i ryddhau 'Hwiangerdd y Blodau Bychain' fel sengl ymhen ychydig fisoedd," meddai wrth y genod. "Felly bydd angen iddi fod ymhlith y caneuon yn eich *repertoire*. Yn sicr bydd yn rhaid i chi ei chanu unwaith y bydd y sengl allan."

Edrychodd Fflur a Ffion ar ei gilydd. Ni fedrai Ffion guddio'i chyffro mawr, ond gwenodd ar Fflur yn llawn cydymdeimlad ac ymdrechodd Fflur i edrych yn hapus hefyd.

"Dowch inni fynd drwy'r caneuon i gyd heblaw 'Haf Olaf'," awgrymodd Guto Rhydderch. "Dyna'r un dwi eisio'i stumio fymryn bach yma ac acw, felly fe wnawn ni ei gadael tan yr un olaf. Beth am inni gychwyn efo 'Hwiangerdd y Blodau Bychain'? Fflur, fedri di ganu dy ran di heb Ffion er mwyn imi gael clywed dy lais yn iawn? Ga i'r peiriannydd sain i fwydo'r recordiad o lais Ffion i dy helpu di. Fydd y dyn camera ddim yma am hydoedd, felly ddylen ni fedru gorffen y gwaith yn hawdd cyn iddo gyrraedd."

Felly aeth Fflur i'r bwth recordio ar ei phen ei hun a gosod y clustffonau am ei phen. Roedd arni dipyn bach o gywilydd, ond roedd hi'n benderfynol o beidio gadael hynny i effeithio ar ei pherfformiad o'r gân. Teimlai'n falch na fyddai'r ffilmio'n digwydd tan yn nes ymlaen. Roedd yn haws canolbwyntio ar ganu heb ddim i dynnu'i sylw. Wedi'r cyfan, roedd yn rhaid iddi ddangos ei bod hi bellach wedi meistroli'r gân. Doedd hi ddim eisiau siomi Mr Parri eto.

Wrth iddi aros i'r peiriannydd ddod o hyd i'r lle cywir ar y tâp, dechreuodd Fflur deimlo'n ofnadwy o nerfus. Doedd hi ddim yn meddwl y byddai'n mwynhau canu'r gân o gwbl, ond roedd popeth yn iawn. Cyn gynted ag y clywodd lais Ffion yn canu, roedd Fflur eisiau canu efo hi. Gwnaeth ei gorau glas a chafodd ei phlesio'n fawr gan y perfformiad.

"Gwych!" meddai Guto Rhydderch wedi iddi orffen. "Fedra i adrodd yn ôl i'r cwmni recordiau bod pob nodyn yn berffaith gen ti rŵan. Ardderchog!"

Treuliwyd peth amser yn trafod ac yn arbrofi gydag ychydig o newidiadau roedd Guto Rhydderch eu hangen yn y gân olaf. Aeth yr amser heibio'n gynt na'r gwynt gan fod popeth mor ddiddorol.

"Gawson ni sesiwn dda heddiw," meddai Guto Rhydderch yn fodlon. "Mae gen i ddigonedd o ddeunydd ar dâp i orffen y gymysgedd yn awr. Gobeithio eich bod chi'n meddwl bod 'Haf Olaf' yn well."

"O ydi," meddai'r ddwy efo'i gilydd.

Roedden nhw newydd gael diod pan gyrhaeddodd y cwmni ffilmio. Roedd yno ferch i ofalu am eu gwisgoedd, ac un arall ar gyfer y coluro, ac ymhen fawr o dro roedd y ddwy'n barod.

Ffilmiodd y dyn camera yr efeilliaid yn canu i'r meicroffonau. Roedd o'n hoffi'r ffordd roedd Fflur yn gadael i'r clustffonau hongian o amgylch ei gwddf a gofynnodd i Ffion wneud 'run fath. Yna ffilmiodd y ddwy wrth y ddesg gymysgu. "Fedrwch chi edrych fel petaech chi wedi hen arfer?" gofynnodd. "Fel petaech chi'n gwybod be i'w 'neud?"

"Dan ni yn gwybod dipyn bach!" protestiodd Fflur.

Chwarddodd Ffion. "Fel hyn?" gofynnodd. Estynnodd ei llaw at y peiriant recordio.

"Nid hwnna!" crefodd y peiriannydd, gan wingo. "Dwi'm eisio gorfod ailosod y cyfan!"

Ond gawson nhw hwyl yn smalio 'run fath, er eu bod nhw'n ofalus i beidio â chyffwrdd mewn unrhyw beth! Yna gofynnodd y criw ffilmio i Guto Rhydderch ddod atyn nhw.

"Hoffen ni'ch ffilmio chi i gyd yn trafod rhywbeth

cyffrous," meddai'r wraig a ofalai am y ffilmio. "Fyddwn ni wedi gorffen wedyn. Peidiwch â phoeni beth fyddwch chi'n ei ddweud wrth eich gilydd, oherwydd fydd dim sain."

Aeth Guto Rhydderch i ysbryd yr achlysur. Anwybyddodd y camera a swatio mewn cylch efo'r efeilliaid.

"Dwi am anfon rhagor o ganeuon ar eich cyfer chi at Mr Parri," meddai. "Er mwyn i ni gael digon o ddewis. Mae'n braf recordio amrywiaeth o ganeuon – os bydd pethau'n mynd yn dda, bydd y cwmni'n siŵr o ystyried rhyddhau albwm. Be dach chi'n feddwl o hynny?"

"Anhygoel!" meddai Ffion yn llawn brwdfrydedd, gan anghofio popeth am y camera.

Roedd llygaid Fflur yn llawn sêr hefyd. "Byddai hynny'n gyffrous iawn!" cytunodd. Rywfodd, doedd y ffaith nad oedd ei llais hi ar y sengl ddim i'w weld mor bwysig bellach. Roedd hi'n dal i fod yn rhan o'r cyffro.

"Arhoswch chi," chwarddodd Guto Rhydderch. "Gobeithio eich bod chi'n barod, oherwydd os bydd

'Hwiangerdd y Blodau Bychain' yn llwyddiant, mi fyddwch yn brysur eithriadol. Mi fydd 'na berfformiadau byw, partïon, nosweithiau lansio … a phawb yn gofyn ichi ganu ble bynnag yr ewch chi! Be dach chi'n feddwl o hynna?"

"Bendigedig!" meddai'r efeilliaid, yn wên o glust i glust!

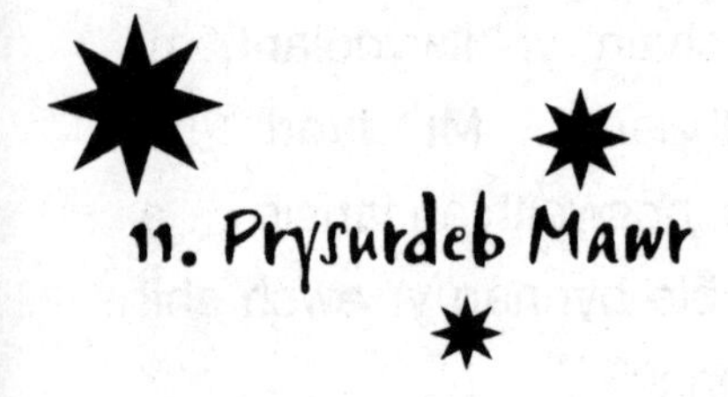

11. Prysurdeb Mawr

Roedd yn amser prysur iawn yn yr ysgol hefyd – pawb yn ymarfer yn wallgo ar gyfer y cyngerdd yn ogystal â cheisio gwneud eu gwaith academaidd. Roedd hi hyd yn oed yn galetach ar Fflur a Ffion gyda'r holl waith ychwanegol ar gyfer y cwmni recordiau. Ond gyda help Mr Parri, llwyddodd y ddwy i wasgu tipyn o amser i ddysgu'r caneuon eraill rhwng gwneud popeth arall hefyd.

"Pam na chanwch chi 'Hwiangerdd y Blodau Bychain' yn y cyngerdd?" awgrymodd Mr Parri un bore. "Byddai'n braf iawn i'r ysgol i gyd eich gweld chi'n perfformio rhywbeth fydd yn siŵr o fod ar frig y siartiau."

"*Os* bydd hi'n cyrraedd yno!" chwarddodd Ffion yn swil braidd. "Ond mae'n syniad da, yn tydi, Fflur?"

"Ydi, pam lai yntê?" cytunodd Fflur. "Honno ydi'r gân fwyaf anodd inni ei recordio hyd yn hyn, ond dwi'n teimlo'n ddigon hyderus wrth ei chanu hi rŵan. Pwy ŵyr, ella y daw hi â thipyn o farciau Sêr y Dyfodol inni!"

Roedd pawb drwy'r ysgol wedi clywed am y sengl y byddai Fflur a Ffion yn ei rhyddhau'n fuan ac eisiau gwybod rhagor amdani.

"Ydi o'n wir iddi gael ei sgwennu'n arbennig ar eich cyfer chi?" gofynnodd geneth hŷn, Rhian, wrth iddi hi gerdded heibio Fflur a Ffion yn y ciw cinio un diwrnod.

"Ydi," meddai Fflur wrthi. "Lwcus ydan ni, yntê?"

"Be ydi enw'r gân?" gofynnodd.

" 'Hwiangerdd y Blodau Bychain'," meddai Fflur wrthi.

Torrodd Cochyn, oedd wedi bod yn clustfeinio'n ddigywilydd arnyn nhw, ar draws y sgwrs. "Mae'r geiriau'n anhygoel. Fel hyn mae'r cytgan yn mynd." Symudodd allan o'r rhes oedd yn aros am ginio a sefyll yno'n smala. "*Cusan ddel gan Fflur.*" Gwnaeth sŵn cusanu mawr. "*A winc fawr gan Ffion.*"

Winciodd yn ddireidus gan luchio'i freichiau allan. Cael a chael fu hi iddo beidio taro hambwrdd llawn bwyd o ddwylo rhywun oedd yn digwydd mynd heibio. "Ddrwg gen i!" meddai a rhoi'r gorau i chwarae'n wirion.

"Anwybyddwch o! Peidiwch â chymryd sylw o'i bryfocio," oedd cyngor Rhian i Fflur a Ffion. "Gallai cân mor bersonol dyfu'n dôn gyflwyno dda i chi. Eich gneud chi'n gantorion enwog a'ch cadw chi yn llygad y cyhoedd am flynyddoedd. Pob hwyl i chi!"

"Diolch, Rhian," meddai Ffion gan roi ei braich drwy fraich ei chwaer. "Dan ni'n gwybod ein bod hi'n lwcus iawn, yn tydan, Fflur?"

"Ydan, wir," cytunodd Fflur, gan gofleidio Ffion yn sydyn. Yn fwy na dim, gwyddai mor ffodus oedd hi i gael chwaer fel Ffion. Doedd hi ddim wedi cwyno gymaint ag unwaith ynghylch y camgymeriadau roedd Fflur wedi'u gwneud gyda 'Hwiangerdd y Blodau Bychain'. Roedd hi wedi gwneud ei gorau glas drwy'r adeg i helpu Fflur, ac nid ei bai hi oedd na fyddai llais Fflur i'w glywed ar y sengl. Gwyddai Fflur na fyddai Ffion byth yn bradychu'i chyfrinach chwaith. Roedd ei theyrngarwch yn gwneud i Fflur deimlo'n ddiymhongar ac yn ffodus iawn, iawn!

Ychydig ddyddiau cyn cyngerdd yr ysgol, cyrhaeddodd pecyn bychan drwy'r post i'r efeilliaid. Aeth y ddwy i fyny i'w hystafell ac agorodd Ffion o.

"Be ydi o?" gofynnodd Erin wrth i Ffion dynnu'r papur lapio.

"Waw!" gwaeddodd Ffion yn llawn cyffro. "Yli, Fflur! Ein sengl ni! Mae'r CD yn barod!"

"Gad i mi weld," meddai Erin a Llywela ar yr un gwynt. Sgrialodd y ddwy dros eu gwelyau ac ymuno â Ffion ar ei gwely hi.

"Ac mae 'na nodyn gan Guto Rhydderch," ychwanegodd Ffion.

"Dyma gopïau o'r fersiwn terfynol," darllenodd. *"Gobeithio y byddwch chi'ch dwy wedi'ch plesio. Gewch chi lythyr ynghylch y diwrnod lansio cyn bo hir. Cymerwch ofal o'ch lleisiau a chwiliwch am eich dillad gorau!"*

"Waw!" meddai Erin. "Tydi hyn yn *gyffrous*? Dwi *mor* falch drosoch chi'ch dwy. Dwi am gael copi cyn gynted ag y bydd hi allan. A dwi'n sâl eisio'i gweld hi ar-lein."

"Chwaraewch y CD!" meddai Llywela. "Dowch inni gael clywed y fersiwn terfynol. 'Sgwn i oes 'na lawer o wahaniaeth rhyngddi hi a'r fersiwn cyntaf glywson ni?"

Doedd Fflur ddim wir eisiau clywed fersiwn terfynol y gân. Roedd hi wedi llwyddo i wthio'r hyn a ddigwyddodd i gefn ei meddwl, ond yn awr, a'r CD yn ei dwylo, ni theimlai'n hapus o gwbl nad oedd ei llais hi arni.

Craffodd yn bryderus ar y daflen manylion. Nid hwn oedd y cynllun gorffenedig. Doedd dim llun o'r efeilliaid ar y tu blaen, nac unrhyw arlunwaith chwaith, ond roedd yno restr o bobl fu'n gyfrifol am gynhyrchu'r gân. Bu'n poeni na fyddai ei henw hi yno, ond dyna lle roedd o, wrth ochr enw Ffion. Synnwyr cyffredin oedd hynny o safbwynt marchnata, a gwyddai Fflur nad oedd ei chwaer yn malio, ond teimlai Fflur yn annifyr ynghylch y peth. Er ei bod yn teimlo rhyddhad, roedd yn anodd gweld ei henw yno a gwybod nad oedd hi'n haeddu'r un mymryn o'r clod.

"Chwaraea hi," meddai wrth Ffion, "Ac fe a' i i 'neud diod inni i gyd i ddathlu!"

"Iawn," cytunodd Ffion, gan ddeall yn iawn. "Wna i mewn dau funud."

Ond roedd Erin eisoes wedi rhoi'r CD yn y peiriant, ac fel roedd Fflur yn cyrraedd at y drws clywai'r gerddoriaeth agoriadol.

Aeth allan i'r coridor gan wneud ei gorau i anwybyddu'r gerddoriaeth, ond fedrai hi ddim peidio. Roedd hi mor gyfarwydd â'r gân, a phob nodyn ohoni wedi'i argraffu ar ei hymennydd. Ymhen bar neu ddau byddai Ffion yn canu unawd Fflur. Byddai'n anodd iawn gorfod clywed hynny.

Cyrhaeddodd y gegin ac aeth at y sinc. Tywalltodd ddŵr yn swnllyd i'r tecell, ond roedd hi'n dal i allu clywed y gerddoriaeth. Yna brysiodd i gau'r tap a sefyll yno'n syn. *HI* oedd yn canu! Daeth llais Fflur allan o'r peiriant, yn canu'r unawd. Yna dechreuodd deimlo'n ansicr. *Ai* hi oedd hi ... neu oedd hi'n dychmygu'r cwbl?

Rhoddodd y tecell o'i llaw a mynd yn ôl i'r coridor. Doedd hi ddim yn camgymryd. Dyna lle roedden nhw, yn canu'r pennill nesaf efo'i gilydd. Yn bendant, roedd lleisiau'r ddwy yno, nid un Ffion yn unig. Ond sut . . ? Yna, sylweddolodd Fflur beth oedd wedi digwydd. Mae'n rhaid fod Guto Rhydderch wedi recordio'i llais hi pan ganodd 'Hwiangerdd y Blodau Bychain' iddo yn ystod y sesiwn recordio olaf, a'i fod wedi penderfynu ei fod yn ddigon da i fynd i'r gymysgedd derfynol.

Teimlai Fflur yn ddagreuol iawn. Roedd hi wedi bod mor sicr ei bod wedi colli'r cyfle am byth, ond roedd Guto Rhydderch wedi rhoi cyfle arall iddi. Byddai'n cofio hynny drwy gydol ei hoes ac yn teimlo'n ddiolchgar iddo. A hithau wedi poeni gymaint drwy gydol yr wythnosaf diwethaf! Bellach, roedd popeth yn iawn a hithau *wir* yn teimlo fel brenhines canu pop! Roedd lleisiau'r *ddwy* ohonyn nhw ar y sengl!

Roedd y gân yn dod at ei therfyn a daeth Ffion i'r golwg yn y coridor. Roedd hithau wedi gwirioni hefyd! Roedd y cytgan olaf ar fin cychwyn, a fedrai'r efeilliaid ddim rhwystro'u hunain – roedd yn *rhaid* iddyn nhw ganu efo'r recordiad!

"*Cusan fawr gan Ffion.*"

Agorodd Fflur ei breichiau'n llydan tuag at Ffion.

"*A winc gan Fflur.*"

Rhedodd Ffion at ei chwaer. Cofleidiodd y ddwy ei gilydd.

"Hwiangerdd y Blodau Bychain yw'r gân!"

Ac rwyt tithau'n dyheu am fod yn seren bop

Yn dilyn mae rhai o
sêr y byd pop a roc Cymraeg
yn cynnig cyngor neu ddau
a all fod yn
help i ti
weld dy
freuddwyd
yn cael
ei gwireddu

Callia! Paid ag anghofio
dy waith ysgol!

Cadwa dy draed ar y ddaear a phaid
â mynd yn ben bach. Mae pawb
angen ffrindiau, felly paid ag anghofio
amdanyn nhw.

Bydd yn driw i ti dy hun.

Ac yn olaf – y peth pwysicaf
un – mwynha bopeth ti'n
ei wneud!

Dos amdani!
Mae'r dyfodol yn dy ddwylo di

Cofia am y gyfres i gyd!